Geld verdienen kann man mit den unterschiedlichsten Tätigkeiten. Zum Beispiel, indem einer seinem Bedürfnis nach distanzierter Betrachtung der Welt folgt, als Probeläufer für Luxushalbschuhe. Er durchstreift die Stadt mit englischem Schuhwerk, trifft dabei zwangsläufig auf eine seiner offenbar zahlreichen früheren Freundinnen, verfaßt Gutachten, für die er 200 Mark bekommt. Doch das Arrangement bröckelt. Seine letzte Freundin, Lisa, verläßt ihn, weil sie seine Weigerung, an der Welt mehr als nur flaneurhaften Anteil zu nehmen, nicht mehr erträgt. Und als das englische Schuhhonorar auf 50 Mark herabgesetzt wird, ist Not am Mann. – Genazinos Roman wurde bei seinem ersten Erscheinen von Publikum und Presse euphorisch aufgenommen als »wunderlich-poetische, irr-witzig komische« (›Die Zeit‹) Ausnahmeerscheinung in der deutschen Gegenwartsliteratur.

Wilhelm Genazino, 1943 in Mannheim geboren, lebt heute als freier Schriftsteller in Heidelberg. Berühmt wurde er mit seiner ›Abschaffel‹-Trilogie, die in den 70er Jahren erschien. Für seine Werke erhielt er zahlreiche bedeutende Auszeichnungen, zuletzt den Georg-Büchner-Preis 2004.

Wilhelm Genazino

Ein Regenschirm
für diesen Tag

Roman

Deutscher Taschenbuch Verlag

Von Wilhelm Genazino
ist im Deutschen Taschenbuch Verlag erschienen:
Abschaffel. Roman-Trilogie (13028)

Ungekürzte Ausgabe
April 2003
6. Auflage August 2004
Deutscher Taschenbuch Verlag GmbH & Co. KG,
München
www.dtv.de
© 2001 Carl Hanser Verlag, München · Wien
Umschlagkonzept: Balk & Brumshagen
Umschlagfoto: © Robert Doisneau/Rapho
Satz: Fotosatz Reinhard Amann, Aichstetten
Gesetzt aus der Sabon
Druck und Bindung: Druckerei C. H. Beck, Nördlingen
Gedruckt auf säurefreiem, chlorfrei gebleichtem Papier
Printed in Germany · ISBN 3-423-13072-5

Barbara gewidmet

I Zwei Schüler stehen vor einer Litfaß-Säule und spucken auf ein Plakat. Dann lachen sie über die Spucke, die die Lit-faß-Säule herunterrinnt. Ich gehe ein wenig schneller; früher war ich solchen Vorkommnissen gegenüber viel duldsamer. Ich bedaure, daß ich neuerdings so schnell ab-gestoßen bin. Wieder fliegen ein paar Schwalben durch die Fußgänger-Unterführung. Sie stürzen die U-Bahn-Station hinab und stoßen acht oder neun Sekunden später durch den gegenüberliegenden Ausgang wieder nach oben. Ich würde gerne selber die Fußgänger-Unterführung durch-queren und mich dabei seitlich von den rasenden Schwal-ben überholen lassen. Aber diesen Fehler darf ich nicht noch einmal machen. Vor etwa zwei Wochen habe ich diese Unterführung zum letzten Mal benutzt. Die Schwalben flitzten an mir vorüber, es dauerte leider nur zwei oder drei Sekunden. Dann entdeckte ich die nassen Tauben, die ich zunächst nicht gesehen hatte. Sie saßen zusammenge-drängt in einer gekachelten Ecke. Zwei am Boden liegende Obdachlose versuchten, mit den Tauben Kontakt aufzu-nehmen. Weil die Vögel auf ihre Laute und Gesten nicht reagierten, verhöhnten die Obdachlosen die Tiere. Kurz danach sah ich auf meiner rechten Schuhspitze einen einge-trockneten Ketchup-Fleck. Ich wußte nicht, wie der Fleck dorthin geraten war, ich wußte nicht einmal, wie es mög-lich war, daß ich erst jetzt auf ihn aufmerksam wurde. Nie mehr gehst du durch diese Unterführung, sagte ich unernst zu mir selber. Auf der anderen Seite der Unterführung sehe ich Gunhild. Ich fürchte mich ein wenig vor Frauen, die Gunhild, Gerhild, Mechthild oder Brunhild heißen. Gunhild geht durch ihr Leben und macht kaum eigene Beobachtungen. Ich bin blind, sagt sie oft; sie sagt es scherzhaft, meint es aber ernst. Man muß ihr sagen, was sie sich anschauen könnte, dann ist sie zufrieden. Im Augenblick habe ich kein Bedürfnis nach einer Begegnung mit Gunhild. Ich weiche ihr aus, indem ich kurz in die Herderstraße zurücktrete. Wenn Gunhild ihre Augen öffnen würde, dann wüßte sie vielleicht, daß ich vor ihr fliehe, jedenfalls manchmal.

Schon zwei Minuten später bereue ich, daß Gunhild nicht bei mir ist. Denn Gunhild hat dieselben Augenwimpern wie Dagmar, die ich mit sechzehn geliebt habe, damals im Freibad, auf der Bügeldecke meiner Mutter. Wo andere Frauen nur eine Wimper haben, sprossen bei Dagmar gleich zwei oder drei oder sogar vier hervor, ja, ich kann sagen, Dagmars Augen waren büschelweise mit Wimpern umsäumt. Dieselbe Art von Augenwimpern hat Gunhild. Wenn ich sie ein wenig länger anschaue, habe ich plötzlich das Gefühl, ich sitze wieder neben Dagmar auf der Bügeldecke. Ich glaube, es sind nicht Erlebnisse, die uns andere Menschen unvergeßlich machen, sondern solche körperlichen Details, die uns erst richtig auffallen, wenn wir die Personen schon lange nicht mehr kennen. Ich will heute allerdings nicht an Dagmar erinnert werden, obwohl ich bereits minutenlang an sie denke und mir jetzt sogar die Farbe ihres Badeanzugs einfällt. Unsere Kinderliebe nahm damals ein unerfreuliches Ende. Ein Jahr später erschien Dagmar mit einer Taucherbrille im Freibad. Sie zog sie jedesmal über, wenn sie mit mir ins Wasser ging. Das bedeutete, daß ich plötzlich nicht mehr ihre Augenwimpernbüschel sehen konnte, die im Wasser und in der Sonne besonders schön waren, weil sie dann glänzten und glitzerten wie kleine Zuckerkörner. Ich wagte damals nicht, Dagmar den Grund meines Rückzugs einzugestehen. Noch heute spüre ich einen kleinen lächerlichen Schmerz, wenn ich leise vor mich hin sage: Dagmar, es war die Taucherbrille.

An der Nikolai-Kirche, wo zur Zeit ein kleiner Zirkus gastiert, fragt mich eine junge Frau, ob ich eine Weile auf ihren Koffer aufpassen kann. Ja, sage ich, warum nicht. In zehn Minuten bin ich wieder da, sagt die Frau. Sie stellt ihren Koffer neben mir ab, macht eine freundliche Geste und geht weiter. Immer wieder wundere ich mich darüber, warum mir Fremde ein solches Vertrauen entgegenbringen. Der Koffer ist klein und hat vermutlich schon viele Reisen hinter sich. Schon schauen mich Leute an und machen sich Gedanken darüber, ob der Koffer und ich zusammengehören oder nicht. Nein, wir gehören nicht zusammen. Früher habe ich angenommen, Menschen schauen einander an, weil sie sich immerzu vor dem Eintreffen schlimmer Nachrichten fürchten. Dann glaubte ich, indem sie sich anschauen, suchen sie nach Worten für die Merkwürdigkeit des Lebens. Denn in den Blicken der Leute schwirrt diese Merkwürdigkeit unablässig hin und her, ohne sich doch je anschauen zu lassen. Heute denke ich kaum noch etwas, ich schaue nur umher. Wie man sieht, bin ich dabei ins Lügen verfallen. Denn es ist nicht möglich, in den Straßen umherzugehen, ohne etwas zu denken. Im Augenblick denke ich gerade, wie schön ich es fände, wenn die Menschen plötzlich wieder arm wären. Und zwar alle, und alle auf einmal. Wie schön es wäre, wenn ich sie ohne ihre Sonnenbrillen sehen könnte, ohne ihre Handtaschen, Sturzhelme, Rennräder, ohne ihre Rassehunde, Rollschuhe, Funkuhren. Sie sollten nichts am Leib haben als die paar Fetzen, die sie schon vor Jahren am Leib hatten, wenigstens eine halbe Stunde lang.

Ich kann mir nicht erklären, warum ich jetzt ein wenig verstimmt bin. Seit dem frühen Morgen bin ich voller Verständnis für jede Art von Armut. Zwei stinkende Männer kommen an mir vorüber, ich habe sofort Nachsicht mit ihnen. Es sind Wohnungslose, sie haben kein Bad und keine Empfindlichkeit mehr, man muß ihr Elend hinnehmen, wie man das Elend immer hingenommen hat. Es ist sehr schön, in der Gegend zu stehen und nicht sagen zu können, wem der Koffer gehört, auf den man aufpaßt. Am Rand des Zirkusgeländes führt eine junge Frau ein Pferd zur Seite und beginnt, es zu bürsten. Sie zieht die Bürste in klaren festen Linien über den Rücken des Tieres. Ihr Gesicht ist nahe am Fell. Das Tier hebt ein Bein und stößt mit dem Huf auf das Pflaster, wobei ein schönes Klirren entsteht. Fast gleichzeitig schiebt sich das Geschlecht des Tieres hervor. Schon bleiben in einiger Entfernung ein paar Zuschauer stehen. Es ist eine Weile nicht klar, was die Zuschauer von dem Pferd sehen wollen. Am Keifen zweier Männer kann ich dann doch erkennen, daß sie gar nichts sehen wollen, sondern etwas erwarten. Sie warten auf den Augenblick, in dem die Frau plötzlich das Geschlecht des Tieres entdeckt. Warum tritt sie nicht einen Schritt zurück und schaut wie zufällig unter den Leib des Tieres? Die Frau ahnt nicht, daß es ein paar Zuschauer gibt, die auf einen Zwischenfall des Sehens warten. Sie hält ihr Gesicht wie abwesend nahe am Rücken des Tieres. Jetzt! Ein kleiner Schritt zur Seite würde genügen, und der Zwischenfall wäre da.

Da kommt die Frau zurück, deren Koffer ich bewache. In der linken Hand hält sie ein Rezept. Jetzt ist klar, sie war beim Arzt, wollte dort aber nicht mit einem Koffer erscheinen. Vermutlich ist sie keine Reisende, sondern eine Art Stadtwanderin, eine Unbehauste. Sie bedankt sich und nimmt ihren Koffer an sich. Ich möchte sie ermahnen, ihr Vertrauen nicht so leicht herzuschenken. Im gleichen Augenblick muß ich über meine Fürsorge lachen. Die Überraschung der Zuschauer wird ausbleiben. So langsam, wie es sich herausgeschoben hat, zieht sich das Geschlecht des Pferdes in seine samtene Umhüllung zurück. Durch das Umherschauen gerate ich in Abenteuer, die ich so nicht will, obgleich sie den Abenteuern ähneln, die ich oft vermisse. Ringsum legt sich die heimliche Erregung der Zuschauer. Einer der Männer geht auf einen bunten Kasten zu, auf dem in großer Schrift steht: HIER IHRE GEWINNKARTE EINWERFEN! Der Mann wirft einen kleinen Coupon in den Schlitz. Er schaut noch einmal zu dem Pferd zurück. Seine zu schnell erkaltete Erregung zwingt ihm ein Lachen ab. Zufällig sehe ich, daß die Pferdepflegerin mit dem Gesicht nahe an den Körper des Tieres herangeht. Es sieht aus, als würde sie am Fell riechen. Jetzt streckt sie beide Arme hoch und legt sie locker über den Rücken des Tieres. Etwa drei Sekunden lang senkt sie ihr Gesicht in die Flanke des Pferdes. Es hält still und schaut umher wie immer. Ich bin sicher, es ist eine besondere Freude, das Fell zu riechen. In diesen Augenblicken streift Gunhild über den Platz. Sie erkennt mich und kommt direkt auf mich zu. Das kann nur heißen, Gunhild hat in der Zwischenzeit nichts gesehen, nichts gehört und nichts gedacht. Genauso ist es auch. Ich laufe mal wieder mit der Idee herum, es müßte etwas Besonderes mit mir geschehen, sagt sie. Aber

vor den Füßen der Mutter. Das heißt, zwei Wattestäbchen bleiben vor Gunhilds Schuhen liegen. Oh, macht Gunhild. Die Mutter hebt alle Wattestäbchen wieder auf, außer den beiden, die vor Gunhilds Schuhen liegen. Gunhild könnte die beiden Wattestäbchen aufheben und sie der Mutter geben. Aber Gunhild kann weder in einen Zirkus gehen noch Wattestäbchen aufheben. In solchen Situationen kann Gunhild nur schnell aufbrechen. Im Grunde ist mir Gunhild deswegen sympathisch. Aber jedesmal ist sie verschwunden, ehe ich ihr meine Sympathie gestehen kann. Auch jetzt flüstert sie mir ein leises Tschüs! zu und löst sich aus der Situation. Ich schaue ihr nach, bis ich eine Frau sehe, der ein Kaugummi aus dem Rucksack gefallen ist. Die Frau ist in die Auslage eines Juweliers vertieft, sie hat den Verlust nicht bemerkt. Soll ich zu ihr hingehen und sagen: Sie haben ein Kaugummi verloren? Vielleicht würde es genügen, wenn ich sagte: Ihnen ist etwas heruntergefallen. Oder einfach: Sie haben etwas verloren. Zur Verdeutlichung (und weil ich das Wort Kaugummi nicht aussprechen mag) könnte ich mit dem Zeigefinger auf den am Boden liegenden Gegenstand deuten. Allerdings wäre (ist) mir das Deuten mit dem Finger peinlich. Es ist schrecklich, ich ähnele Gunhild, ich kann niemanden auf nichts aufmerksam machen. Vermutlich will die Frau gar nicht auf den Verlust hingewiesen werden. Die Frau ist ganz und gar in schwarzes Kunstleder eingehüllt, ich denke mal, sie ist eine Motorradfahrerin. Sie geht weiter, das Kaugummi bleibt zurück. Während sie geht, gibt das Leder leise, aber dennoch gut hörbare Quietschgeräusche von sich. Das Quietschen flößt mir sonderbarerweise die Gewißheit ein, daß es gut war, daß ich den Mund gehalten habe. Wahrscheinlich gehen sowieso die meisten Menschen heutzu-

und steht neben dem Eingang einer Bank. Er schaut die Vorübergehenden an wie Leute, von denen eine Gefahr ausgeht. Es stört ihn offenbar nicht, daß man sich über ihn keine Gedanken macht. Der Sanitäter und der Wachmann sehen aus wie Menschen, die inzwischen ganz billig geworden sind. Wenn jemand käme und wollte zum Beispiel den Sanitäter kaufen, dann müßte er, glaube ich, höchstens fünf Mark bezahlen. Auch die Motorradfahrerin ist ganz billig, ich übrigens ebenfalls, wegen der fehlenden Genehmigung. Ein etwa zwölfjähriger Junge setzt sich auf den Rand des Stadtbrunnens. Er hat ein kleines Segelboot dabei, das er bedachtsam auf das Wasser setzt. Die Fontäne ist heute niedrig eingestellt, so daß die Wasseroberfläche sich kaum bewegt. Es dauert nicht lange, dann greift ein leichter Wind in die beiden Segel des Schiffs und treibt es langsam über das Becken. Ich setze mich ungefähr dort auf den Brunnenrand, wo das Segelboot vermutlich ankommen wird. Wenn das Schiff gut an der Fontäne vorbeischwimmt und der Wind nicht erlahmt, wird das Boot für die Überquerung nur wenige Minuten brauchen. Der Junge geht langsam um das Becken herum und läßt sein Boot nicht aus den Augen. Die jungen Frauen, die ebenfalls auf dem Brunnenrand sitzen und sich unterhalten, beachtet er nicht. Auch für die Frauen ist der Junge nicht interessant. Ich schaue auf das Boot wie jemand, der sich von seiner Ankunft viel verspricht. Einzelne Worte der Frauen werden vom Wind zu mir herübergetragen. Nachts ..., sagt die Frau links, nachts ... frage ich mich oft ... wenn ich nicht schlafen kann ... Dann verstehe ich nichts mehr. Eben kommt das kleine Segelboot auf meiner Seite des Beckens an. Der Junge greift freudig ins Wasser und hebt sein Schiff heraus und trägt es fort, unterm

wird. Oben, am Himmel, entdecke ich ein Segelflugzeug. Still, weiß und langsam gleitet es dahin, große Kreise ziehend im Blau des Firmaments. In mir hat Susanne Bleuler jemand, der die Echtheit ihrer Wünsche verbürgen kann, weil mir Susanne schon als Zwölfjährige während des Schlittenfahrens (ich saß hinter ihr auf dem Zweisitzer) gestanden hat, daß sie Schauspielerin werden wird und sonst nichts. Bei diesen Schlittenfahrten ist es mir zum ersten Mal passiert, daß ich die Brust eines Mädchens berührte. Ich habe damals lange nicht bemerkt, daß es sich dabei um einen Busen handelte. Ich saß immer nur hinter Susanne und umfaßte sie von hinten. Auch Susanne fiel nicht auf, daß meine beiden Hände bei jeder Abfahrt auf ihrer Brust lagen. Erst als Susanne dreizehn geworden war, schob sie plötzlich meine Hände beiseite und lachte dabei. Ich lachte ebenfalls, und erst durch dieses gemeinsame Lachen ging uns auf, daß es Brüste und Hände gab und ein neuartiges Erschrecken zwischen uns, das uns dann auseinandertrieb, jedenfalls für eine Weile.

Susanne will bis heute mit mir über diese Einzelheiten sprechen. Sie nennt diese Einzelheiten unsere einzigartige Kindheit. Zum Beispiel findet sie es interessant, daß ich auf dem Schlitten immer hinter ihr saß. Wenn ich vorne gesessen hätte, hätte ich auch nicht ihren Busen berühren können. Nur der Platz hinter ihr gab mir dazu die Möglichkeit. Also hätte ich schon damals Grund gehabt, an dieser Sitzordnung unter allen Umständen festzuhalten. Ich kann hundertmal sagen, daß ich durch ihren Anorak, ihren Pullover, ihre Bluse und ihr Unterhemd hindurch nicht habe fühlen können, daß sich darunter ihr Busen befand, Susanne glaubt mir nicht recht. Dabei rede ich nicht mehr gerne über meine Kindheit. Das Umherschweifen in der

Stadt geschieht oft nur deshalb, weil es mir während des Gehens leichter fällt, mich nicht zu erinnern. Ich möchte auch nicht erläutern müssen, warum ich mich nicht mehr gerne an die Kindheit erinnere, und schon gar nicht möchte ich andere Personen bitten, sie mögen aufhören, von meiner Kindheit zu erzählen. Ich möchte nicht, daß sich meine Kindheit immer mehr in eine Erzählung über meine Kindheit verwandelt, ich möchte sie als etwas aufbewahren, das hinter meinen Augen ausharrt, launisch, verworren, bissig. Susanne hingegen glaubt, daß durch das Sprechen über die doch einmalige Kindheit eine andere, zweite, neue Kindheit hervorgeht, was in meinen Augen ein grober Unfug ist. Wir stritten damals, zuerst in einem Lokal, dann auf der Straße, und ich überlegte zum ersten Mal, ob ich mir vielleicht ein kleines Schildchen an mein Revers heften soll. Darauf könnte stehen: BITTE KEINE GESPRÄCHE ÜBER IHRE ODER MEINE KINDHEIT. Oder auch, etwas schroffer: VERMEIDEN SIE BITTE DAS THEMA KINDHEIT. Natürlich würde ich mich vielerlei Gefahren und Mißverständnissen aussetzen, wenn ich mit einem solchen Schild herumliefe. Susanne würde das Schild nicht begreifen und ausrufen, jetzt bist du endgültig übergeschnappt. Das hat sie schon öfter gesagt, sie sagt es eigentlich immer, wenn sie etwas nicht sofort begreift oder nicht hinnehmen möchte. Ich schaue hinauf zum blauen Himmel und entdecke ein zweites Segelflugzeug. *Ein* Segelflugzeug am Himmel ist wunderbar, *zwei* Segelflugzeuge sind schon eine öffentliche Bedürfnisbefriedigung. Jetzt habe ich doch wieder die Gesellschaft kritisiert! Immer will ich mich zurückhalten, aber dann verliere ich die Beherrschung und falle zurück. Susanne ist offenbar nicht mehr in der Nähe. Sonst hätte sie sich längst neben mich auf den

Brunnenrand gesetzt, um über ihre oder meine Kindheit zu sprechen oder auch über Sartres Theaterstück ›Geschlossene Gesellschaft‹, in dem sie einmal die Rolle der Estelle gespielt hat, allerdings vor etwa siebenundzwanzig Jahren.

Eine angenehme Müdigkeit zieht in mich hinein oder durch mich hindurch, ich weiß es nicht. Wenn es mir möglich wäre, würde ich mich hier niederlegen und eine halbe Stunde schlafen, dicht neben dem Glitzern des Wassers. Aber ich brauche, um zu schlafen, einen geschlossenen Raum um mich. Ich erhebe mich und gehe schräg über den kleinen Platz. Es ist Mittag, die Kaufhäuser sind jetzt fast angenehm, weil halb leer, leise und nichtssagend. Wenn ich mich recht erinnere, werden Herrensocken in der zweiten Etage verkauft. Ich durchstreife das Erdgeschoß und suche die Rolltreppe. Links von mir stehen auf langen Regalen Rasierseifen, Haarwasser, Rasierschaum in Tuben, Herrenparfüms, Wattestäbchen, Hautcremes, Babyartikel. Ich mache einen kleinen Umweg und biege in den Gang mit Haushaltsreinigern, Insektensprays und Wischlappen ein. Ich weiß nicht, warum ich etwa zehn Sekunden später ein Päckchen mit Rasierklingen in meiner Jackentasche verschwinden lasse. Vermutlich ist es wieder die Verstimmung darüber, daß ich ohne innere Genehmigung lebe. Gerade hier, in diesem Kaufhaus, möchte ich gefragt werden, ob ich auf der Welt sein möchte. Ich brauche nur ein einziges Paar Herrensocken, aber ich werde an Hunderten von Paaren vorbeigehen und mindestens ein Dutzend persönlich in die Hand nehmen müssen, ehe ich ein geeignetes Paar Herrensocken gefunden haben werde. Aber es tritt niemand an mich heran, es nimmt mich niemand zur Seite, es stellt mir niemand die Frage, ob ich jemals die Zustimmung dazu gegeben habe, daß ich hier umhergehe. Statt dessen sehe ich eine Behinderte in einem Rollstuhl durch die Gänge fahren. Im Augenblick gleitet sie an riesigen Packungen mit Toilettenpapier und ebenso riesigen Packungen mit Papierwindeln vorbei. Routiniert greift sie mit ihren kleinen Händen in die Speichen der beiden Rollstuhlräder. Ihr Anblick bewirkt, daß ich die Rasierklingen in meiner Jackentasche nun doch bezahlen möchte. Ich begreife diesen Zusammenhang nicht. Es scheint so zu sein, daß das Erscheinen einer Person, der es noch schlechter geht als mir, in mir das Verhalten eines guten Menschen hervorruft. Der Satz klingt plausibel, in Wahrheit klärt er nichts und läßt mich ratlos zurück. Ich schaue nur der mit erhöhter Geschwindigkeit davonrollenden Behinderten nach und würde in diesem Augenblick (gäbe es jemanden, der mich fragte) die Genehmigung des Auf-der-Welt-Seins vermutlich nicht erteilen. Schon stehe ich an der nächsten Kasse. Die Rasierklingen habe ich unauffällig aus meiner Jackentasche herausgeholt. Es sieht jetzt so aus, als hätte ich sie von Anfang an zur Kasse tragen wollen und als sei mir eine noch so versteckte Auflehnung gegen das nicht genehmigte Leben vollkommen fremd. Und während ich in der langen Reihe an der Kasse stehe und nur langsam vorankomme, sehe ich über die Oberkanten mehrerer Warenregale hinweg das ziemlich verwitterte Gesicht meines ehemaligen Freundes Himmelsbach. Ich habe ihn schon mindestens ein halbes Jahr lang nicht mehr gesehen und ebenso lang nicht mehr gesprochen. Es gibt zwischen uns ein Zerwürfnis, das ungefähr sieben Jahre zurückliegt. Es ging Himmelsbach schon damals nicht mehr gut, und er fragte mich, ob ich ihm fünfhundert Mark leihen könne. Ich gab ihm das Geld, ich habe es bis heute nicht zurückerhalten. So ging eine alte Freundschaft in die Brüche, be-

Fotografen in Paris. Meine Antwort war boshafter, als ich zunächst wußte. Denn es steckte in ihr die Möglichkeit, daß Himmelsbach selbst zu den Fotografen gehörte, die zuviel waren. Kurz danach sagte Himmelsbach, er hätte mich nur deswegen in seine Wohnung eingeladen, weil er während seiner Abwesenheit Angst vor Einbrechern hatte. Ich vermute, er hat das Fotografieren inzwischen aufgegeben. Jedenfalls trägt er seine Kamera nicht mehr mit sich herum. Wieder hoffe ich, ähnlich wie bei Susanne, nicht entdeckt zu werden. Ich ärgere mich immer noch über die längst verschwundene Rollstuhlfahrerin, ohne deren Anblick ich ebenfalls nicht mehr hier wäre. Himmelsbach ist so stark mit sich beschäftigt, daß er die Vorgänge in seiner Umgebung nicht bemerkt. Seine Schuhe sind hart und grau, wahrscheinlich putzt er sie nicht mehr. Er geht in der Parfümabteilung umher und sprüht sich aus verschiedenen Probierflakons kleine Duftproben zuerst auf die Innenseiten seiner Hände und Armgelenke und dann auf die Arme. Jedesmal macht es Pfft!, wenn die Düsen Parfüm ausstäuben. Ach Gott, denke ich, so einer ist Himmelsbach geworden. Er parfümiert sich kostenlos in Kaufhäusern und kommt sich wahrscheinlich noch raffiniert dabei vor. Ich sehe, es ist ein ältliches Gespenst aus ihm geworden, ein Pfft-Mann, der niemals seine Schulden bezahlen wird. Trotzdem gelingt es mir, meinem Blick die Schärfe zu nehmen, jedenfalls sekundenweise. Wenn Himmelsbach mich jetzt anschaut, muß er mich für milde halten. Dann könnten wir trotz des verregneten Zimmers und trotz der Schulden vielleicht miteinander reden und über die peinlichen Manöver des Schicksals triumphieren. Aber diese Augenblicke treten nicht ein. Himmelsbach kann nicht aufhören, immer wieder neue Flakons in die Hand zu nehmen und jetzt sogar sein Hemd einzuduften. Er bemerkt nicht, daß die Verkäuferinnen schon über ihn kichern. Ich müßte einschreiten, das heißt ihn schützen, aber ich kann nicht. Denn ich verspotte ihn in meinem Inneren ebenfalls, ich merke, wie froh ich bin, daß ich ihn aus dem Blick verliere, und dabei vor mich hin murmle: Pfft, pfft, pfft.

2 : Nach diesen Erlebnissen sehe ich davon ab, mir heute ein Paar Socken zu kaufen. Die ungeplante Bezahlung der Rasierklingen war schon aufregend genug. Es eilt nicht mit den Socken, ich brauche sie heute nicht und morgen nicht und übermorgen nicht sofort. Außerdem habe ich dann einen Grund, meine Wohnung erneut zu verlassen und in die Stadt zu gehen. Denn außer meiner Strategie, mich im Gehen nicht an meine Kindheit zu erinnern, gibt es einen zweiten, weit stärkeren Grund, meine Wohnung so oft wie möglich, am besten stundenlang, zu meiden. Über diesen Grund kann ich freilich im Augenblick nicht sprechen, nicht nachdenken und nicht nachsinnen. Es hängt sicher mit diesen Unaussprechlichkeiten zusammen, daß mir jetzt, kurz nach dem Verlassen des Kaufhauses, eine alte Sterbephantasie wieder einfällt, die ich für vergessen geglaubt hatte. Vor ungefähr fünfzehn Jahren stellte ich mir einmal vor, daß links und rechts meines Sterbebettes je eine halbnackte Frau sitzen sollte. Ihre Stühle sollten so nah an mein Sterbelager herangerückt sein, daß es mir leichtfiele, mit den Händen die entblößten Brüste der Frauen zu berühren. Ich glaubte damals, mit dieser körperlichen Besänftigung würde mir die Zumutung des Sterbens besser bekommen. Fast jeden Tag habe ich mir überlegt, welche von den mir bekannten Frauen ich vorsorglich fragen sollte, ob sie, wenn es soweit ist, zu diesem Sterbedienst bereit wären. Ich erinnere mich, daß ich es damals am besten fand, zunächst Margot und Elisabeth zu fragen.

ßenbahn-Türen öffnen sich, die Frauen greifen nach ihren Einkaufstaschen. Ich schaue dabei zu, wie all diese Menschen, die für Eroberungen ganz unbegabt sind, in die Straßenbahn stürzen und jetzt doch einen Sitzplatz erobern wollen. Ich bleibe draußen stehen, die Straßenbahn fährt wieder an, ich werde die vier oder fünf Stationen zu Fuß zurücklegen. Rechter Hand liegt das große Autohaus Schmoller & Co. Jeden Freitag um die Mittagszeit werden die großen Schau- und Verkaufsräume des Autohauses gereinigt. Ein junger Mann und eine junge Frau, vermutlich ein Ehepaar, ziehen große, eimerförmige Staubsauger hinter sich her. Der Lärm der beiden Staubsauger dringt bis auf die Straße hinaus. Ich bleibe vor einem Schaufenster stehen und tue so, als würde ich mich für neue Autos interessieren. Tatsächlich schaue ich das Kind an, das die beiden Putzleute jedesmal mitbringen. Es ist ein etwa siebenjähriges Mädchen, das zwischen den Autos herumsteht und mit den Blicken nach seiner Mutter sucht, die ganz in der Nähe und doch unerreichbar ist. Eine staubsaugende Mutter ist so abwesend wie der Tod. Die Mutter stößt das Saugrohr mit der Bürste vorne dran immer wieder unter die Autos und vermeidet dabei, mit dem Kind zusammenzutreffen. Wahrscheinlich liebt die Mutter den Staubsauger, weil das Gerät ihr vortrefflich dabei hilft, unerreichbar zu sein. Die Mutter ist der Staubsauger und der Staubsauger ist die Mutter. Sie trifft auch mit ihrem Mann nicht zusammen, aber der Mann ist schon lange daran gewöhnt, daß sich beide in Staubsauger verwandelt haben. Ha! Ich bin ein ganz vorzüglicher Staubsaugerkritiker! Eben entdeckt das Mädchen, daß draußen ein Mann stehengeblieben ist und hereinschaut. Es kommt dicht an die Scheibe heran und schaut mich an. Ich müßte jetzt den

Mut haben, das Putzpaar zu fragen, ob ich mit dem Kind eine halbe Stunde spazierengehen darf. Wahrscheinlich werden sie mir das Kind schenken, so begeistert werden sie sein. Leider muß ich über diesen Einfall kurz lachen, was das Mädchen mißversteht. Es lacht ebenfalls und legt dabei die Stirn gegen die Scheibe. Genau JETZT müßte ich den Autosalon betreten und das Kind mitnehmen. Statt dessen juckt mich in diesen Augenblicken mein Uhrarmband. Seit rund fünfundzwanzig Jahren bin ich daran gewöhnt, eine Uhr am Arm zu tragen. Das heißt, in Wahrheit bin ich nicht daran gewöhnt. Ich löse das Armband und lasse die Uhr in der linken Jackentasche verschwinden. Das Mädchen erkennt sofort, das Verschwinden der Uhr war das Zeichen, daß nichts geschehen wird. Es löst sich von der Scheibe und sucht wieder die Mutter, die gerade zwischen zwei riesigen Geländewagen saugt. Doch da schlängelt sich der Gummischlauch des Staubsaugers hinter einem Kühler hervor. Dankbar erkennt das Mädchen das Zucken des Gummischlauchs und fühlt sich wieder daheim.

Mir hilft der Anblick eines kleinen Zoogeschäfts, das nur eine Haltestelle entfernt liegt. Das heißt, es ist der Besitzer des Zoogeschäfts, ein Mann zwischen dreißig und fünfunddreißig Jahren, der wie üblich auf der Treppe seines Ladens sitzt und einen Heftchenroman liest. Dabei müßte er dringend die Vogelkäfige und Terrarien reinigen. Und die Schaufensterscheibe müßte geputzt werden, und zwar heute noch. Aber dann würden die Leute erst richtig erkennen können, wie heruntergekommen der Zooladen ist. Ich bleibe vor der schmutzigen Scheibe stehen und versuche, in den Laden zu schauen. Es ist als Provokation gemeint, aber es ist nur lächerlich. Durch die offene Tür höre ich wieder die kleinen Abfluggeräusche der Vögel, das dichte kompakte Aufstieben von winzigen Federkörpern. Plötzlich habe ich das Gefühl, es wird sich rächen, daß ich das Nachhausegehen heute so hinausziehe. Ich werde jetzt rasch und zielstrebig meine Wohnung aufsuchen. Heute ist Freitag, und freitags hängt eine ältere Frau die frisch gewaschenen Arbeiterhemden ihres Mannes auf ihrem Balkon auf. Den Balkon kann ich von der Küche aus sehen. Es sind jedesmal vier oder fünf tiefblaue, triefend nasse Hemden, die die Frau in einer Plastikschüssel auf den Balkon herausträgt und sorgfältig aufhängt. Schon nach kurzer Zeit ist die Frau selber kaum noch sichtbar. Nur noch zufällig werde ich zwischen den blauen Hemdrücken die weißen Arme der Frau hervorschauen sehen. Ähnlich wie die Putzleute und der Inhaber des Zoogeschäfts blickt auch die Arbeiterfrau nicht ein einziges Mal in die Umgebung. Schon jetzt, obwohl ich das Bild der nassen Hemden noch gar nicht vor mir habe, beruhigt mich ihr Anblick. Ich überquere die Straße, da begegnet mir Doris. Ich bin sofort überzeugt, daß sie die Strafe für meine Trödelei ist. Doris tut, als hätte sie mich lange nicht gesehen, und wie immer paßt sie auf, daß sie sich nicht zu schnell bewegt. Als Kind ist sie wegen einer seltenen und schwierigen Herzoperation nach Amerika geflogen und dort operiert worden. Von dieser Operation hat sie eine lange Narbe zurückbehalten, die sie mir früher einmal gezeigt hat. Noch heute darf sich Doris nicht zu sehr aufregen, weil dann für ihr Herz eine gefährliche Anspannung entsteht.

Du hast wieder in das Zoogeschäft hineingesehen, stimmts?

Hast du mich beobachtet? frage ich zurück.

Ja.

Warum fragst du dann?

Ach, nur so, sagt sie.

Und du hast wieder überlegt, ob du dir nicht endlich zwei Mäuse kaufen sollst.

Doris kichert.

Ich? frage ich nur.

Das finde ich so süß, daß ich einen Mann kenne, der sich vielleicht zwei weiße Mäuse kauft! Das hab ich neulich einer Kollegin erzählt! Und stell dir vor, die möchte dich sogar kennenlernen, nur wegen der weißen Mäuse!

Wie kommst du denn darauf? Daß ich mir weiße Mäuse kaufen will!

Das hast du mir selber schon erzählt.

Nie im Leben, sage ich.

Aber ja, sagt Doris, ich erinnere mich genau.

Was soll ich denn mit zwei Mäusen anfangen?

Das weiß ich auch nicht, sagt Doris. Aber gesagt hast du es, ich schwöre es.

Du bringst da etwas durcheinander.

Das glaubst du. Vielleicht hast du schon zwei weiße Mäuse, aber du willst es nicht zugeben oder was weiß ich.

Du bringst da etwas durcheinander.

Das glaube ich kaum, sagt Doris.

Ich habe dir mal erzählt, daß ich *als Kind* gerne zwei Mäuse gehabt hätte.

Genau.

Was heißt genau?

Genau das hast du mir erzählt, daß du als Kind gerne zwei Mäuse gehabt hättest.

Genau, sage ich.

Siehst du.

Aber da ist doch ein Unterschied.

Ein Unterschied? Was für ein Unterschied?

Es ist ein Unterschied, ob jemand sagt, daß er als Kind gerne zwei Mäuse gehabt hätte, oder ob jemand sagt, er würde auch jetzt noch, als Erwachsener, gerne zwei Mäuse haben.

Ach, macht Doris.

Was heißt Ach.

Ich glaube nicht an solche Unterschiede.

Man muß an Unterschiede nicht glauben, sage ich, Unterschiede gibt es, Unterschiede kann man bemerken. Verstehst du?

Nein.

Es kommt nicht darauf an, was du glaubst, es kommt in diesem Fall nur darauf an, was ich dir gesagt habe, und ich habe dir nur gesagt, daß ich als Kind gerne weiße Mäuse gehabt hätte, verstehst du den Unterschied, als Kind.

Ja, ja, sagt Doris, schon recht, ich habe verstanden, aber ich glaub's nicht. Nach meiner Meinung vergessen Menschen niemals, was sie sich als Kinder gewünscht haben.

Du verwechselst schon wieder etwas, und du merkst es wieder nicht. Ich habe nicht gesagt, daß ich vergessen hätte, was ich mir als Kind gewünscht habe.

Ja, sagt Doris, laß mich ausreden, ich wollte sagen, daß wir auch als Erwachsene nicht aufhören können, uns die Erfüllung der Kinderwünsche zu erfüllen – äh, nein, jetzt hab ich mich verhaspelt, egal, du weißt, was ich dir sagen will.

Ja, ich weiß, was du mir sagen willst, aber du bist auf dem Holzweg.

Ich weiß, daß du so denkst, weil du dich schämst.

Ich? Ich schäme mich? Warum?

Du willst nicht zugeben, daß du nach wie vor zwei weiße Mäuse haben willst.

Aber Doris! Wenn ich zwei weiße Mäuse haben wollte, würde ich sie mir sofort kaufen, das kannst du mir glauben!

Aber warum stehst du dann so oft vor den Schaufenstern von Zoogeschäften herum? Kannst du mir das sagen?

Das würdest du niemals verstehen, du verstehst ja viel einfachere Vorgänge nicht! Wie willst du so vielschichtige Dinge begreifen, daß jemand ohne Absichten und ohne Wünsche vor den Schaufenstern von Zoogeschäften herumsteht, und zwar immer wieder! Dafür kann es hundert verschiedene Gründe geben, sage ich, aber eine derartige Vielfalt hat dein Mäusegehirn nicht vorgesehen!

Den letzten Satz möchte ich gleich wieder zurücknehmen. Andererseits konnte ich nicht auf ihn verzichten. Wie bereue ich, daß ich Doris irgendwann einmal ein paar Kinderwünsche gestanden habe, wie bedaure ich, daß ich gewissen Personen überhaupt jemals von meiner Kindheit erzählt habe. Wenn ich mich nicht irre, ist Doris erstarrt. Eine derartige Gemeinheit hat sie mir nicht zugetraut. Andererseits hätte ich nichts dagegen, wenn ich mit Doris keine Gespräche mehr führen müßte. Ich kann es ertragen, wenn sie künftig mit erhobener Kinnspitze an mir vorübergeht. Aber ich habe mich geirrt. Sie prustet los und sagt: Mein Gott, was für ein schräger Vogel bist du geworden! Sie faßt mich am Arm und lacht. Dann sagt sie auch noch: Der Denker und die weißen Mäuse! Und lacht wieder. *Ich* bin es, der erstarrt, *ich* bin es, dem jetzt nichts mehr einfällt. Gleichzeitig hoffe ich, Doris' Herz wird durch das Lachen nicht zu sehr mitgenommen. Ich möchte nicht schuld sein, wenn ihr Herz plötzlich zuviel oder zuwenig Blut pumpt und Doris vielleicht umfällt. Ich müßte mich auf der Stelle von Doris abwenden und grußlos verschwinden, aber ich bleibe stehen, weil ich der einzige bin, der weiß, was mit Doris los ist, wenn sie jetzt einen Schwächeanfall erleidet und in meinen Armen auf den Boden sinkt. Aber Doris sinkt nicht zusammen. Sie schaut mich aus amüsierten Augen an wie eine erfahrene Mutter, die Freude hat an den unfreiwilligen Verrenkungen und Verhebungen ihres Kindes. Da kommt meine Bahn! ruft sie plötzlich aus und rennt los, tschüs!, ruft sie, tschüs! rufe ich und bleibe stehen, weil ich denke, es ist höflich, in dieser Situation stehenzubleiben und zuzuschauen, wie die Bahn langsam heranfährt und anhält und Doris einsteigt.

Die Wahrheit ist, man wird die Leute nicht mehr los, denen man einmal von seiner Kindheit erzählt hat. Dabei überlege ich, daß die Aufschrift auf dem Schildchen, das ich mir demnächst vielleicht an das Revers heften werde, eine Spur schärfer ausfallen muß. Vielleicht so: DAS SPRECHEN ÜBER DAS THEMA KINDHEIT IN MEINER GEGENWART IST UNERWÜNSCHT. Oder so: WARNUNG! WENN SIE ÜBER IHRE ODER GAR MEINE KINDHEIT SPRECHEN, DANN – nein, das ist zu schroff. Am besten ist, ich werde zu meiner alten Formel zurückkehren. Aber meine alte Formel fällt mir nicht mehr ein. Mein Gott, ich weiß nicht mehr, mit welchem Satz ich mich über die Verdrehungen meiner Kindheit habe wehren wollen. Doris sitzt in der Straßenbahn und winkt mir nach. Ich kann nicht anders, ich winke zurück. Der Fehler liegt allein bei mir. Ich habe in den vergangenen Jahren zuviel und zu wahllos über meine Kindheit gesprochen. Ich sollte damit ganz aufhören, aber das werde ich vermutlich nicht schaffen. Ich möchte wissen, warum mir Doris so sehr nachwinkt. Es ist, als würde sie in mir einen besonders liebenswerten Menschen sehen. Die Niedertracht meines letzten Satzes ist bei ihr entweder überhaupt nicht angekommen oder sofort verpufft.

3 : Zu Hause gehe ich zuerst in das Schlafzimmer und setze mich auf den Bettrand
nahe am Fenster. Von hier aus kann ich
sehr gut auf den Balkon der Arbeiterfrau sehen. Ich bin gerade noch rechtzeitig gekommen. Drei nasse Hemden
hängen schon. Da schieben sich zwei starke weiße Frauen-
arme zwischen zwei Hemdrücken hindurch und entfalten
einen weiteren nassen Stoffklumpen. Es ist das vierte tiefblaue Hemd, das sie wieder mit zwei Plastikklammern auf
der Leine befestigt. Ich glaube, ich bewundere die Zwei-
deutigkeit dieser Arbeit; in manchen Augenblicken sieht
sie ganz dumpf aus, in anderen ganz und gar beseligt. Die
Frau ist dann an die Hemden so ähnlich hingegeben wie
die Tierpflegerin an das Fell des Zirkuspferds. Dann mache ich leider einen Fehler. Ich ziehe meine Hose, die
Schuhe und die Strümpfe aus. Wann immer ich meine
nackten Füße ansehe, sind sie ungefähr fünfzehn Jahre älter als ich. Ich betrachte die stark nach außen getretenen
Adern, die polsterartig vergrößerten Knöchel und die immer härter werdenden Fußnägel, die immer mehr jene
schwefelgelbe Farbe annehmen, die für die Zehennägel
nicht mehr ganz junger Menschen charakteristisch ist.
Nicht mehr ganz junger Menschen! Diese Floskel geht mir
nur durch den Kopf, weil ich den Schreck über meine
Zehennägel abdämpfen muß. Ich schaue hinauf zu der Arbeiterfrau, aber sie ist schon wieder verschwunden. Der
Schreck sitzt so tief in mir, daß ich diffus im Zimmer umhergehe und die Schranktür öffne. Ich mag es, mit bloßen

re hin nicht mehr und kann das Ergebnis deswegen oft nicht anerkennen, obwohl ich selbst dieses Ergebnis bin. Im Augenblick denke ich an das Kind, das in den Schauräumen des Autohauses Schmoller herumgelaufen ist. Diese Unlust meinen Problemen gegenüber ist typisch für mich. Ich weiß auch, daß ich nicht wirklich an das Kind im Autohaus denke. Das Kind ist nur eine verpuppte Erinnerung an mich selbst. Prompt fällt mir ein, wie ich als Kind versucht habe, den verschleierten Mund meiner Mutter zu küssen. Meine Mutter trug damals einen dunkelblauen flachen Hut mit schmaler Krempe. In der Krempe eingerollt war ein Netz, das sie sich gern über das Gesicht zog. Hinter dem dicht aufliegenden Schleier erschienen Lippen und Wangen ein wenig platt gedrückt, auch die Nasenspitze. Diese kleinen Verunstaltungen waren vermutlich der Grund dafür, warum ich dann plötzlich keine Lust mehr hatte, die Mutter zu küssen. Ich küßte sie aber trotzdem, und ich spürte deutlich statt der Haut der Mutter deren Verschnürung durch das Netz. Die Eingepacktheit der Lippen übertrug sich für eine Weile auf meine eigenen Lippen, was mir anfangs gefiel. Ich küßte die Mutter, um bei mir selbst das Hautgefühl der Verschnürung zu erzeugen. Nein, das stimmte so nicht. Das Gegenteil war der Fall. Ich wandte mich immer mehr von der Mutter ab, weil sie mir statt ihres Mundes mehr und mehr eine Netzverschnürung anbot. Ich verdächtigte sie, daß sie die Zuneigung der Familie zurückweisen wollte. Denn ich hatte schon beobachtet, daß auch der Vater und mein Bruder nicht über Netzküsse hinauskamen. Nein, das stimmte so auch nicht. Die Wahrheit ist, daß ich nicht mehr genau weiß, was sich wirklich ereignet hat. Die Unklarheit über diesen Punkt reicht mir aus, um mich ein bißchen zu beschimpfen. Es kann gar nicht mehr lange dauern, denke ich, dann wirst du in eine Lügenheilanstalt eingeliefert. Denn die Wahrheit hinter der Wahrheit ist, daß ich natürlich hundertprozentig zu wissen meine, was sich tatsächlich ereignet hat und was nicht. Ich habe ein Interesse an verschiedenen Wahrheitsversionen, weil ich es schätze, vor mir selber ein wenig verwirrt zu erscheinen. Die Wahrheit hinter dieser Wahrheit ist jedoch, daß ich die Annahme meiner eigenen Verwirrtheit gar nicht ertrage und sie dann doch für wahr und wirklich halte. Die Erfindung des Wortes Lügenheilanstalt amüsiert mich, obwohl sie mich vermutlich alarmieren sollte. In dem plötzlichen Zusammenstoß meines Gedächtnisschwunds mit meiner Verwirrung und vielleicht meiner Verrücktheit sehe ich an diesem Tag den ersten Hinweis, daß vielleicht eine Erkrankung in meinem Inneren heranwächst. Vermutlich nur deswegen suche ich Anschluß an eine kleine praktische Tätigkeit. Ich gehe ins Badezimmer und putze mir zum zweiten Mal heute die Zähne. Während des Zähneputzens betrachte ich die beiden angestaubten Parfümflakons, die Lisa zurückgelassen hat. Die beiden Fläschchen stehen schon seit Jahren auf der Glasscheibe unterhalb des Spiegelschränkchens. Lisa benutzte Parfüm so gut wie nie. Sie hat nie versucht, mich auf irgendeine künstliche Weise zu locken. Unser letzter Versuch eines Beischlafs ist uns auf wunderliche Weise entglitten. Wir lagen eine Weile nebeneinander, ich mit dem Gesicht zwischen ihren Brüsten, was uns so gut gefiel, daß wir nach kurzer Zeit einschliefen. Es war, als hätten wir plötzlich gemeinsam vergessen dürfen, daß es Sexualität gab. Als wir aufwachten, lagen wir eingehenkelt nebeneinander wie ein älteres Ehepaar. Mit Lisa zusammen war es mir möglich, auf eine nachträg-

es jetzt wieder. Aus der Tiefe der Hinterhöfe höre ich das Geräusch des Einschießens von Wasser in eine Gießkanne. Es ist die Gießkanne von Frau Hebestreit, die in der Teuergarten-Straße eine Lotto- und Totoannahmestelle betreibt. Jetzt, um die Mittagszeit, hat Frau Hebestreit ihren Laden geschlossen und gießt ihre Tomaten, ihre Gurken und ihre Radieschen. Ich öffne in der Küche das Fenster zum Hof und setze mich in den kleinen Rattansessel in der Nähe des Heizkörpers. Von hier aus kann ich sogar hören, wie der Wasserschweif der Gießkanne auf die staubigen Blätter der Pflanzen auftrifft und wie dabei ein sonderbar papierenes Geräusch entsteht. Fünf bis sechs Gießkannen Wasser gießt Frau Hebestreit jeden Mittag über ihren Pflanzungen aus, dann kehrt sie in ihre Erdgeschoß-Wohnung zurück. Durch die stark wasserhaltige Verbindung zwischen den Glucksern in der Heizung, Lisas Tränen und dem Wasser aus der Gießkanne zieht eine beträchtliche Gemütsbewegung durch mich hindurch. Ich muß nicht selber weinen, das Weinen tritt nur momentweise von innen an mich heran und verschwindet dann wieder. Bis tief in den Mai hinein sagte Lisa beinahe täglich, daß es immer noch zu kalt sei. Auch dann, wenn wir im Sommer miteinander schliefen, klagte sie über Kälte. Sie legte ihr Nachthemd nicht ab, sondern sie schob es sich bis zum Hals hoch, weil sie auch während des Beischlafs zum Beispiel gegen eine plötzliche Gänsehaut gewappnet sein wollte. Im Inneren lachte ich manchmal über den Anblick ihres Nachthemdes, das wulstartig wie eine mißratene Halskrause ihre Schultern bedeckte. Einmal habe ich versucht, während des Beischlafs kurz (und leise) zu lachen. Lisa verstand diese Regung nicht. Auch für meine Erklärung, daß der auf der Frau liegende und hechelnd seine

Form verlierende Mann doch auch lächerlich sei, hatte sie kein Verständnis. Für sie war der Beischlaf eine ernsthafte Angelegenheit, die auch durch die Wiederholung nichts von ihrer Ernsthaftigkeit verlor. Prompt fällt mir meine ernste Lebenslage ein. Solange wir zusammenlebten, hat Lisa mir öfter beweisen wollen, daß meine Genügsamkeit unfreiwillig sei. Ich besitze nur ein Sakko, einen Anzug, zwei Hosen, vier Hemden und zwei Paar Schuhe. Ich lebte und lebe, rundheraus gesagt, von Lisas Rente. Meine eigenen Einkünfte sind, ebenfalls rundheraus gesagt, nicht der Rede wert. Es ist mir bis jetzt nicht gelungen, mir einen soliden finanziellen Hintergrund zu verschaffen. Ich kann kaum noch über dieses Problem sprechen, obgleich es von Woche zu Woche drängender wird. Zum Glück leben meine Eltern nicht mehr. Sie würden mich kurzerhand als arbeitsscheu bezeichnen. Mein Vater war besonders stolz, daß er praktisch von seinem sechzehnten Lebensjahr bis zu seinem Tod gearbeitet hat. Er hatte es gut. Er vergaß während und durch die Arbeit seine Konflikte. Bei mir ist es genau umgekehrt. Mir fallen meine Konflikte erst ein, während oder wenn ich arbeite. Deswegen muß ich die Arbeit eher meiden. Für diesen Fall hatten Leute wie meine Eltern nicht das geringste Verständnis. Lisa hat mich verstehen können, jedenfalls viele Jahre lang. Ich hielt dieses Verständnis für ewig und unwandelbar. Tatsächlich brauchte es sich langsam auf und ist jetzt ganz verschwunden. Schwierig war (ist) meine Lage auch deswegen, weil in Lisas pädagogisch gemeintem Spott über meine Bescheidenheit gleichzeitig eine liebevolle Aufforderung versteckt war. Ich hatte von Lisa die Erlaubnis, Geld von ihrem Konto abzuheben. Ich habe von dieser Erlaubnis nur ein einziges Mal Gebrauch gemacht und habe dabei ihm selbst gesagt, weil ich mich nicht mehr so gut beherrschen kann wie früher. In Wahrheit überfällt mich immer öfter eine Schweigelust, die mir ein bißchen angst macht, weil ich nicht weiß, ob soviel Schweigen, wie ich es zum Leben brauche, noch normal ist oder vielleicht der Beginn meiner inneren Krankheit, die mit Zerbröckelung oder Zerfaserung oder Ausfransung nur mangelhaft bezeichnet ist. Ich schaue auf den Boden und betrachte die da und dort herumliegenden Staubflusen. Wie sonderbar heimlich sich der Staub vermehrt! Plötzlich fällt mir ein, daß Verflusung vielleicht das richtige Wort für den gegenwärtigen Stand meines Lebens ist. Genau wie eine Staubfluse bin auch ich halb durchsichtig, im Kern weich, äußerlich nachgiebig und übertrieben anhänglich und außerdem schweigsam. Neulich hatte ich die Idee, ich werde an alle Leute, die ich kenne beziehungsweise die mich kennen, einen Schweigestundenplan verschicken. Auf diesem Plan steht genau, wann ich reden will und wann nicht. Wer sich nicht an den Schweigestundenplan hält, wird überhaupt nicht mehr mit mir sprechen können. Für Montag und Dienstag ist/wäre DURCHGEHENDES SCHWEIGEN angeordnet. Mittwochs und donnerstags herrscht nur morgens DURCHGEHENDES SCHWEIGEN, an den Nachmittagen GELOCKERTES SCHWEIGEN, das heißt, es sind Kurzgespräche und Kurzanrufe erlaubt. Nur freitags und samstags bin ich/wäre ich zu haltlosem Gerede bereit, allerdings erst ab elf Uhr. An Sonntagen besteht TOTALES SCHWEIGEN. Die Wahrheit ist, daß der Schweigestundenplan schon weitgehend ausgearbeitet war und daß ich ihn um ein Haar verschickt hätte. Sogar die Adressen auf den Briefumschlägen hatte ich schon getippt. Ein Glück, daß Lisa von diesem Schweigestundenplan nie etwas erfährt. Wahrscheinlich würde sie

44

weinen, wenn sie das Wort hören müßte. Lisa brach oft überraschend schnell in ein Weinen aus, hörte mit dem Weinen aber auch schnell wieder auf. Wenn dabei das Telefon klingelte, würgte sie das Weinen sekundenschnell ab und ging an den Apparat. Jetzt würde sie mit fester Stimme sagen, daß ich gerade beim Zahnarzt wäre. Das wäre nicht einmal gelogen, weil ich mich seit Wochen tatsächlich einer Zahnbehandlung unterziehe, die demnächst zu Ende geht, Gott sei Dank. Neulich rief die Zahnarzthelferin an und sagte mit sonnenheller Stimme: Ihre neuen Zähne sind eingetroffen! Ich war sofort sprachlos. Die Zahnarzthelferin wiederholte: Ihre neuen Zähne sind da. Ich hatte nie für möglich gehalten, daß ein solcher Satz je an mich hingesprochen würde. Die Zahnarzthelferin hatte nicht die geringste Ahnung, daß sie eine Barbarin war. Und ich hatte nicht den Mut, es ihr zu sagen. Ich stotterte irgendeinen verlegenen Halbsatz ins Telefon, aus dem die Zahnarzthelferin schließen konnte, daß ich demnächst bei ihr in der Praxis erscheinen und meine neuen Zähne abholen würde. Genau das ist sehr fraglich. Viel wahrscheinlicher ist, daß auch die Zahnarzthelferin von mir einen Schweigestundenplan erhält. Die Sonne flutet in die Wohnung und zeigt mir mein verflustes Leben. Im Sommer fühle ich eine zusätzliche Schuld. Um zehn Uhr abends ist es immer noch hell und morgens um fünf schon wieder. Die Tage dehnen sich unverschämt und machen mir klar, wie sehr ich sie verstreichen lasse. Wenigstens das Telefon hat aufgehört zu klingeln. Es war mit Sicherheit Habedank. Nur er weiß, daß jedes leere Klingeln mich piesackt. Dabei ist es nicht so schwer, sich mit Habedank zu verabreden. Wir würden in seinem Büro etwa eine Stunde lang miteinander reden und dann würde er mir vier oder fünf neue Aufträge geben.

Er will nur meine Testberichte, anschließend will er mit mir über Modelleisenbahnen der fünfziger und sechziger Jahre reden, besonders über die Modelle von TRIX und FLEISCHMANN. Gräßlich! Modelleisenbahnen! Guter Gott! Nie hätte ich geglaubt, daß derartige Kindereien einmal wichtig werden könnten. Aber Habedank hat niemand, mit dem er über Modelleisenbahnen reden kann. Ich müßte Habedank sofort anrufen und einen Termin mit ihm vereinbaren. Aber ich gehe am Telefon vorbei in das vordere Zimmer. Jetzt breitet sich Schicksal aus, das nicht genehmigte Leben. Ich bin immer melancholisch geworden, wenn ich kämpfen sollte. Ich werde kämpfen müssen, also werde ich melancholisch. Es ist, als würde ich bis zu den Knien in einem leicht anrüchigen Gewässer stehen. Habedank wird mir den Job wegnehmen, wenn ich nicht mehr mit ihm über Modelleisenbahnen rede. Ich stehe am Fenster und schaue die Straße hinab. Ich beobachte einen jungen Mann, der den Bürgersteig vor dem Verwaltungsgebäude einer Baufirma reinigt. Er erscheint alle vierzehn Tage und bläst mit einem Hochdruckreiniger die herumliegenden Blätter erst eine Weile vor sich her und dann in eine Anlage hinein. Später holt er einen großen blauen Plastiksack aus seinem Auto und stopft die Blätter hinein und schafft sie fort. Das Ordnungsgehabe der Baufirma empört mich. Die Damen und Herren Bauzeichner, Konstrukteure und Statiker legen Wert auf einen total gereinigten Bürgersteig! Kein Stäubchen soll liegen vor ihrem prächtigen Geschäftsgebäude! Nicht einmal ein paar Blätter können sie liegen sehen! Ich frage mich, ob die Damen und Herren nie Kinder gewesen sind, ob es ihnen nie Freude gemacht hat, mit quergestellten Schuhen ein paar Blätter vor sich herzuschieben, ob ihnen das dabei entstehende Geräusch und

wieder anzieht und weitergeht. Dieser Mann bremst meinen Tagtraum, ich weiß nicht warum. Wahrscheinlich ist es der niederträchtige Anblick der Gewißheit, daß die Menschen auch noch in ihren Schuhen für Ordnung sorgen müssen. Ich fühle, wie mich mein Tagtraum wieder verläßt, beziehungsweise wie er sich zuerst in eine Bedrohung und dann in eine Beschämung verwandelt. Ich werde kein Geld verdienen, jedenfalls nicht mit Kursen über Gedächtniskunst. Ich habe die letzten euphorischen Sätze in den noch immer abgedunkelten Probenraum meiner Zukunft hineingesprochen, wo sie selber sehen müssen, ob sie etwas mit meinem Leben anfangen können. Ha! Erinnerungskunst für Angestellte! Damit können die gar nichts anfangen! Im Gegenteil, die fragen dreimal, wie man Mnemosyne denn schreibt, weil sie das Wort nie zuvor gehört haben. Die lachen dich aus! Gedächtniskunst! Was soll das denn sein! Mein Tagtraum flieht und verhöhnt mich während der Flucht. Das ist seine Art, ich kenne das seit langem. Gedächtniskunst! Das kann sich nur der Stubenhocker vom Haus gegenüber ausgedacht haben! Solche Phantasien verhindern auch heute, daß aus mir endlich ein lebenstüchtiger Mensch wird. Ich seufze, weil ich ein so kleiner, fehlbarer Mensch bin. Das ist die letzte Lektion des fliehenden Tagtraums. Warum brütet dein Hirn immer wieder derartig faule Eier aus, die niemand kaufen will? Warum denkst du immer wieder Gedanken, die dich nur selber beeindrucken und die du niemand mitteilen kannst (Lisa ausgenommen), weil niemand versteht (Lisa ausgenommen), wie ein ausgewachsener Mann davon überzeugt sein kann, daß er mit einem derartigen Humbug Geld verdienen könnte? Warum läßt du dich von einem Mann mit Hochdruckreiniger und ein paar Blättern derartig in die Irre führen? Wann endlich wirst du eine Idee haben, die auch anderen Menschen einleuchtet? Und für die sie Geld hinlegen, und zwar schnell!

4 : Erschöpft von mir selber beschließe ich,
zum Friseur zu gehen, damit heute wenigstens irgend etwas Vernünftiges geschieht. Zum zweiten Mal verlasse ich an diesem Tag die
Wohnung, weil ich den Narrheiten meines Kopfes anders
nicht entkommen kann. Aber du kannst nicht immer ein
Ablenkungsleben führen, sage ich halblaut zu mir selber.
Es muß für dich auch noch eine andere Leidenschaft geben
als immer nur die Verschwindsucht. Dabei ist es schon
halbwegs angenehm, meinen eigenen Beschimpfungen zu
lauschen. Denn das süße Gift, das in ihnen steckt, macht
mich gleichzeitig zum Gegenteil eines Beschimpften. Es ist
die ebenfalls in ihnen steckende Übertriebenheit, die mich
gleichzeitig wieder freispricht. Ich sage du alter Hotten-
totte nein Hosentrottel nein Trottelhose zu mir und muß
über die Zärtlichkeit meiner Selbstverhöhnung schon wieder lachen. In gewisser Weise macht mich dieser frühe
Nachmittag unangreifbar. Ich fühle die Zerbröckelung beziehungsweise Verflusung in mir, amüsiere mich gleichzeitig über sie und kann mir nicht recht böse sein. Margots
Friseursalon ist nicht weit von meiner/unserer Wohnung
entfernt. Er gehört zu den vielen kleinen Läden im Viertel,
die fast täglich am Abgrund entlangtaumeln, genau wie
ich. Insofern passen die kleinen Geschäfte und ich sehr
gut zusammen. Anfangs habe ich Margots Salon nur besucht, weil er mich befremdete und gleichzeitig belustigte.
Beziehungsweise weil ich nicht verstand, wie das zusam-
mengeht, Fremdheit und Belustigung. Ich verstehe die

Gleichzeitigkeit dieser beiden Wirkungen auch heute nicht, aber heute belustigt mich auch das Nichtverstehen; jedenfalls dann, wenn es sich an einem so nebensächlichen und fast selbst lächerlichen Ort wie einem Friseursalon festmacht. Margots Salon ist vermutlich in den sechziger Jahren eingerichtet und seither nicht erneuert worden. In der Herrenabteilung gibt es drei klobige, schwulstig geformte Porzellanbecken, die viel zu mächtig in den kleinen Raum hineinragen. Außer Margot gibt es keine weiteren Friseusen oder Friseure. Vermutlich hat Margot nur noch wenige Kunden. Ein paar ältere Frauen und Leute wie ich, die wenig zahlen wollen. Als ich den Salon zum ersten Mal betrat, saß Margot vornübergebeugt vor dem leeren mittleren Waschbecken. Erst beim Näherkommen sah ich, daß Margot einen Teller Suppe aß, der in der Tiefe des Waschbeckens stand. Margot war ein wenig erschrocken und verlegen. Offenbar hatte sie nicht mehr mit einem Kunden gerechnet und vergessen, die Ladentür abzuschließen. Ich erbot mich damals, das Geschäft wieder zu verlassen. Aber Margot bat mich zu bleiben und trug den halb leer gegessenen Teller weg. Heute ißt sie keine Suppe. Statt dessen liegt im gleichen mittleren Waschbecken eine Katze und schläft.

Sie haben Glück, sagt Margot, Sie kommen gleich dran. Die Katze läßt sich von den plötzlichen Bewegungen um sie herum nicht stören. Margot dreht die Sitzfläche des ganz links gelegenen Friseurstuhls um, ich nehme Platz. Zwischen den Spiegeln hängen Zeichnungen, die offenbar von Margot selbst stammen. Sie zeigen immer wieder dasselbe Frauenprofil, eine Art Bubikopf. Die Zeichnungen erinnern mich momentweise an meine Mutter, die in ihren letzten Lebensjahren gern einen ähnlichen Bubikopf malte.

Margot bedeckt meine Vorderseite mit einem frischen Umhang. Ich bin der einzige Kunde. Margot sagt: Ich kann Sie jetzt schon an Ihrem Hinterkopf wiedererkennen. Wir lachen kurz, dann reicht mir Margot eine Zeitschrift mit dem Titel GLÜCKSREVUE. Die Trennwand zwischen der Herren- und der Damenabteilung ist vermutlich noch älter als die übrige Einrichtung. Es ist ein kreuzweise übereinandergelegtes Bambusgestänge, wie es in den sechziger Jahren in vielen Wohnzimmern zu sehen war. Drei Blumentöpfe in tonbraunen Schalen hängen in dem Gestänge und sind mit Bastschleifen an diesem befestigt. Margot schaltet das Kofferradio ein. Es ertönt Schlagermusik, die Katze schaut auf. In der GLÜCKSREVUE lese ich den Anfang eines Artikels über den Nachwuchs des schwedischen Königshauses. Die Überschrift lautet: Der erste Enkel ist da. Aus Versehen lese ich: Der erste Ekel ist da. Dabei ekele ich mich nicht, im Gegenteil, der sonderbar zusammengerumpelte Charakter der Räume fesselt mich. Margot erinnert mich an die Frauen, die ich vor Lisa kannte. Sie paßten alle nicht zu mir. Damals gab ich die Vorstellung auf, es gebe irgendwo die ›richtige‹ Frau, und gewöhnte mich an den Schmerz über das dauerhafte Zusammensein mit einer unpassenden Frau. Kurz darauf lernte ich Lisa kennen. Jetzt ist Lisa weg, und ich überlege, ob ich mich nun wieder an Frauen gewöhnen muß, die nicht zu mir passen, mit denen ich aber doch zusammen bin, weil es keine anderen Frauen gibt. Dabei drängt es mich nicht zu einer neuen Liebesgeschichte, weder mit einer passenden noch mit einer unpassenden Frau, aber ich bin auch nicht ganz sicher. Margot näßt mir das Haar und erzählt dabei von einem mißlungenen Urlaub an der Ostsee. Ihre Mutter hat sich beinahe täglich über das schlechte Wetter, den schlechten Service und das schlechtgelaunte Personal geärgert. Schließlich habe ich mich ebenfalls über das Wetter, den Service und das Personal geärgert, sagt Margot, obwohl mir diese Dinge sonst vollkommen egal sind. Das war das letzte Mal, daß ich mit meiner Mutter in Urlaub gefahren bin. Wir lachen. Margot nimmt mir vorsichtig die Brille ab und kürzt mir das über die Ohren gewachsene Haar. Jetzt spricht sie über die Unterschlagungen ihres Bruders, von denen ich bei einem früheren Besuch schon gehört habe. Nach etwa fünfzehn Minuten schwenkt sie einen runden Frisierspiegel hinter meinem Hinterkopf hin und her. Ich nicke und sage zu meinem frisch geschnittenen Haar: Wunderbar, ganz ausgezeichnet. An diesem übertriebenen Kommentar erkenne ich, daß ich nicht sofort nach Hause gehen werde. Margot pinselt mir das Genick aus und schiebt die auf dem Umhang verteilten Haarbüschel auf den Boden. Sie löst die Verschnürung des Umhangs und rasiert den Nacken aus. Die Katze reckt den Kopf, Margot schaltet das Kofferradio ab. An der Kasse küssen wir uns, genau wie beim letzten Mal vor etwa drei Wochen. Immer noch will ich keine neue Liebesgeschichte. Ich glaube, ich kann die Sätze nicht mehr sagen und nicht mehr hören, die im Verlauf einer Liebesaffäre ausgesprochen werden müssen. Dabei macht Margot es mir leicht. Sie spricht zwar relativ viel, aber das gewöhnliche Liebesgerede kommt nicht von ihr. Ich stecke meine Brieftasche wieder ein. Margot schließt die Ladentür ab, ich folge ihr nach hinten in das Zimmer, das sich seitlich an die Damenabteilung anschließt. Es ist nicht das erste Mal, daß Margot und ich im Anschluß an das Haareschneiden miteinander schlafen. Der Rolladen ist zur Hälfte herabgelassen. Durch eine dicht anliegende Gardine hindurch sehe ich auf einen leeren Innenhof, in dem beim vorigen Mal ein paar Kinder spielten. Heute entdecke ich nur einen kleinen Vogelkäfig im Fenster eines seitlich gelegenen Hauses. Erst jetzt fällt mir auf, daß meine Brille noch auf dem Rand des Waschbeckens liegen muß. Ohne Brille kann ich die beiden Vögel in dem Käfig nicht als Vögel erkennen, sondern nur als zwei bewegliche Flecke. Weil ich ohne Brille bin, kommt mir die Situation trotz ihrer Fremdheit auch intim vor. Nur zu Hause erlaube ich mir, die Brille über längere Zeit abzulegen. Das Umhergehen und Umhersehen ohne Brille ist für mich wie eine Erlaubnis zum zerbröckelnden Leben. Margot ist schon entkleidet. Ich komme nicht auf den Gedanken, daß sie es eilig haben könnte. Sie hilft mir beim Öffnen der Hemdenknöpfe und beim Aufknoten der Schnürsenkel. Wenn ich mich nicht täusche, schert sich Margot nicht viel darum, daß ich vielleicht nicht recht in Liebesstimmung bin. Sie erinnert mich an die Männer, von denen es immer heißt, sie schlafen auch dann mit ihren Frauen, wenn diese gar nicht wollen. Ich meine zu fühlen, daß es ihr Vergnügen macht, mir beim Ausziehen behilflich zu sein. Offenbar schätzt sie diese kleinen komischen Abenteuer während eines langen Arbeitstages. Wieder, wie schon voriges Mal, setzt sie sich auf die Couch, zieht mich zu sich heran und lutscht mir das Geschlecht. Ich sehe abwechselnd auf die beiden beweglichen Flecke am Fenster gegenüber und auf die drei Frisierhauben in der Damenabteilung. Das Plexiglas der Hauben ist grau und rissig geworden. Ich sehe auf die kleine sitzende Margot herunter, die mir jetzt gut gefällt. Obwohl ich keine Abstützung brauche, halte ich mich an ihren Schultern fest. Zweimal bücke ich mich leicht und greife nach ihren kleinen festen Brüsten. Plötzlich fällt mir mein Kurs für Gedächtniskunst ein. Fast gleichzeitig bin ich sicher, daß hinter dieser Idee nichts weiter steht als mein persönlicher Wunsch nach einem eigenen privaten Blättermeer, durch das nur ich allein hindurchgehen darf. Vermutlich hat mir das Zusammensein mit Margot geholfen, den individuellen Hintergrund der Gedächtniskurse zu erkennen. Jedenfalls wäre ich ohne Margot nicht auf diesen Kern gestoßen. Ein Strom von Dankbarkeit zieht durch mich hindurch, ich streichle Margot den Rücken, als hätte ich eben erfahren, daß sie vor und während des Beischlafs friert, genau wie Lisa. Die Dankbarkeit für Margot zeigt sich auch darin, daß mein Glied ungewöhnlich groß und fest wird. Plötzlich ist klar, daß ich nur Lisas leeres Zimmer mit Blättern auffüllen muß, dann habe ich ein für mich reserviertes Blätterzimmer. Ist das Umhergehen in einem Blätterzimmer nicht eine ausgezeichnete Technik, mich von Lisa zu trennen und gleichzeitig zu wissen, daß mir eine Trennung von ihr gar nicht möglich sein wird? Ich muß nur ein paar Plastiktüten mit Platanenblättern auffüllen und sie unauffällig in die Wohnung schaffen und in Lisas Zimmer ausbreiten, das wird schon alles sein. Ich spiele ein paar Sekunden mit diesem Einfall und empfinde Glück. Ich weiß nicht, ob es neues Glück ist, das ich Margot verdanke, oder immer noch altes Glück, das von Lisa übriggeblieben ist. Gleichzeitig fürchte ich mich davor, daß ich als Geisteskranker in Lisas leerem Zimmer sitze, umgeben von zahllosen welken Blättern, wirres Zeug redend. Ich werde immer wieder sagen, daß ich nicht länger bereit bin, ungenehmigtes Leben hinzunehmen. Das wird wie gewöhnlich niemand verstehen. Außer Lisa natürlich, aber Lisa ist nicht da und wird nie wieder dasein. Sie wird mich erst wieder besuchen, wenn ich in einer Anstalt sitze, aber auch dann wird sie mich nicht verstehen, weil sie weinen muß und alle Kräfte sie verlassen haben. Ein Psychiater wird von starken desintegrativen Ich-Störungen reden, von einer depressiven Irritation mit psychotischer Symptomatik, von einem wahnhaften paranoiden Verfolgungserleben. Sätze dieser Art stehen immer in den Zeitungen, wenn jemand nach gewissen Vorfällen nicht mehr weiter weiß und eingeliefert wird. Lisa wird sich diese Sätze anhören und noch mehr weinen. Margot läßt von mir ab und kniet sich vornüber auf die Couch. Mit den Händen taste ich nach ihrem Geschlecht und fühle, daß es trocken ist. Ich befeuchte Zeigefinger und Mittelfinger mit Spucke und verreibe sie zärtlich auf den Schamlippen. Dasselbe noch einmal mit Ringfinger und kleinem Finger. Vorsichtig und langsam schiebe ich Margot den Schlot in den Unterleib. Mit beiden Händen packe ich ihren kleinen Kinderhintern und ziehe ihn fest an mich heran. Margot stößt ein paar Tierlaute aus, die ich gerne höre. Zum Glück gelingt es mir, den Verkehr zu dehnen, indem ich meine Bewegungen so gleichmäßig wie möglich mache. Zum ersten Mal überlege ich flüchtig, ob ich mich mit Margot nicht auch außerhalb des Friseur-Salons verabreden könnte. Plötzlich ängstige ich mich davor, ich werde mich bald dafür schämen, einmal gesund gewesen zu sein. Kurz darauf geht mir ein Teil dieser Gesundheit schon verloren. Ein paar Sekunden später zeichnet sich ab, daß ich vermutlich keinen Orgasmus haben werde. Offenbar verhält es sich mit Margot ähnlich. Ruhelos stützt sie sich mal auf die Hände, dann wieder auf die Ellenbogen. Sie ist noch immer nach vorne gebeugt, aber plötzlich dreht sie ihr Gesicht nach hinten und schaut mich an. Ich nehme den Blick als Erlaubnis zum Abbruch des Beischlafs. Ich löse mich von Margot, sie erhebt sich und bringt ein paar Augenblicke schöner Hilflosigkeit zustande. Durch den Abbruch des Beischlafs ist mir Margot noch näher als zuvor. Sie macht keinerlei Aufhebens von unserem Mißgeschick. Ich kann nicht ausdrücken, daß ich ihr dankbar bin. Wie seltsam ist das Menschliche! Wenn wir normal sein könnten, wäre das Fremde oft das Menschliche, aber wir können nur selten normal sein. Diesen Satz möchte ich Margot gerne sagen, aber leider fühle ich mich schuldig und schweige. Der Abbruch des Beischlafs ist jetzt so etwas wie eine von Margot ermöglichte Ersparnis von Trauer. Mit der Freude, die durch diese Ersparnis frei wird, schauen wir uns an. Es ist, als hätten wir schon viele schwierige Vereinbarungen erfunden und durchgehalten. Margot ist mit Anziehen schneller fertig als ich. Ich wage nicht, in halbbekleidetem Zustand in den Salon hinauszugehen und nach meiner Brille zu suchen. Margot richtet das Zimmer wieder so her, wie es zuvor ausgesehen hat. Bisher habe ich Margot nie Geld gegeben. Aber heute drängt es mich, etwas Geld hierzulassen. Es soll nicht so aussehen, als wollte ich sie bezahlen. Es ist so, daß mir Margots Leben plötzlich leid tut. Auch sie ist nicht gerechtfertigt, ich fühle es. Ich habe das Bedürfnis, mit ihr über das nicht genehmigte Leben zu sprechen. In ihren hastigen Bewegungen erkenne ich die Blamage, zu oft zum Leben nur gezwungen zu sein. Zugleich fürchte ich, daß ich einem Gespräch über das nicht genehmigte Leben im Augenblick nicht gewachsen wäre. Ich hätte wie als Kind wieder das Gefühl, daß ich von fast allem, was sich ereignet, immer nur den Anfang verstehe. Nach dem verstandenen Anfang würde ich vielleicht fliehen, weil ich mich zu sehr daran erinnern würde, wie sehr mich die Kompliziertheit allen Lebens immer geängstigt hat. Ich merke, daß Margot den Laden wieder öffnen möchte. Die Katze kommt in den hinteren Raum und schaut mir dabei zu, wie ich mir die Schuhe anziehe. Jetzt springt sie auf die Couch, auf der Margot aufgekniet war. Meine Brille liegt noch immer auf dem Rand des mittleren Waschbeckens. Im Becken nebenan entdecke ich ein einzelnes dunkles Haar. Es schlängelt sich über das Porzellan bis an den oberen Rand des Beckens. Aus dem Aufsetzen der Brille und dem Herausziehen der Brieftasche wird eine zusammenhängende Bewegung. Ich lege hundertfünfzig Mark auf die Theke und halte Margot mit einer Geste davon ab, mir Wechselgeld zurückzugeben. Margot leistet keinen Widerstand. Wenig später öffnet sie die Tür. Mit den Lippen streife ich Margots Gesicht und verschwinde.

Draußen, auf der Straße, fällt mir ein Mann mit zu weitem Hemdkragen auf. Ich möchte ihn gerne fragen, ob er die Lust verloren hat, sich passende Hemden zu kaufen. Dann könnte ich ihm sagen, daß auch mir diese Lust abhanden gekommen ist. Daraufhin könnten wir in ein Lokal gehen und, nein, das würde nicht passieren. Im Haus gegenüber, im dritten Stock, steht ein junger Mann an einem offenen Fenster und spielt Akkordeon auf die Straße herunter. Ich schaue zu ihm hoch, woraufhin er heftiger spielt, was mir eine Spur peinlich ist. Reglos wie ein kleiner Toter wird ein schlafender Säugling an mir vorübergefahren. Schwalben fliegen in Sechsergruppen über eine kaum belebte Straßenkreuzung. Ich betrachte alle diese Einzelheiten mit übertriebener Aufmerksamkeit, weil ich verhindern muß, daß ich mich bücke und herumliegende Blätter einsammle. Für zu Hause, für mein privates Blätterzimmer. Dabei ist mir klar, daß ich die Idee meines Blätterzimmers immer nur planen, aber nicht ausführen darf. Das Laub darf ich nur lieben, solange es auf der Straße liegenbleibt. Ich darf niemals glauben, ich könnte die Blätter oder mich retten, indem ich einen Teil der Blätter in Lisas ehemaligem Zimmer ausbreite. Aber ich möchte auch nicht an der Scham des vergeblichen Wünschens teilhaben. Die Angst vor der Verrücktheit ist in diesen Augenblicken so stark, daß ich fürchte, nur aus der Angst könnte ihr Anfang hervorgehen. Dann bücke ich mich und erfasse mit einem Griff vier, nein, fünf kräftige Platanenblätter mit feingezackten Rändern und langen Stielen.

5 : Auf dem Ufervorland ist außer mir kein
Mensch. Rechts zieht sich eine stark fre-
quentierte Umgehungsstraße hin. Das
Gebrumm der Autos dringt bis zu mir herunter, stört mich
aber kaum. Links plätschert der Fluß; er ist heute ein bißchen lehmig, fast schlammig, wahrscheinlich hat es in der
Nacht geregnet. Zwischen Umgehungsstraße und Fluß
liegt ein breiter Grasstreifen, der von ein paar hartgetre-
tenen Lehmpfaden durchquert wird. Oben, entlang der
ein wenig erhöht liegenden Umgehungsstraße, sind ein
paar Bänke übriggeblieben. Die meisten Bänke sind in den
letzten Jahren von Rowdys herausgerissen und kaputtge-
schlagen worden. Die Stadtverwaltung erneuert die Bänke
nicht, was die Attraktivität der Gegend nicht verstärkt. Die
Vernachlässigung des Uferstreifens kommt mir jedoch entgegen, weil ich hier unbeobachtet meiner Arbeit nachge-
hen kann. Seit sieben Jahren bin ich als Schuhtester tätig,
und ich kann sagen, daß diese Beschäftigung die bisher
einzige meines Lebens ist, der ich habe treu bleiben können, sogar mit zunehmendem Erfolg, was freilich nicht auf
eine besondere Befähigung zurückgeht, sondern, wie der
für mich zuständige Disponent Habedank gern sagt, auf
das ›glückliche Marktschicksal unseres Produkts‹. Ich bin
tätig für eine kleine, stark expandierende Fabrik für Lu-
xusschuhe, auf die mich seinerzeit mein damaliger Freund
Ipach aufmerksam gemacht hat. Ipach wollte eigentlich
Regisseur werden, er wäre es auch fast geworden, aber
nach einer überlangen Zeit als Regieassistent am Olden-

burger Stadttheater war es ihm nicht mehr gelungen, ein neues Engagement zu finden. Durch Zufall wurde er Vertreter der Schuhfabrik, für die ich heute ebenfalls arbeite. Du mußt den ganzen Tag nur herumlaufen mit ganz neuen Schuhen an den Füßen und dann über deine Empfindungen beim Gehen möglichst genaue Berichte schreiben. Dieser Satz von Ipach gab damals den Ausschlag, daß ich mich in die S-Bahn setzte und mit einer Empfehlung von Ipach den Disponenten Habedank aufsuchte. Ich teste heute einen schweren, rahmengenähten Oxford-Schuh aus poliertem, grubengegerbtem Boxcalf. Die Schnürung ist klassisch geschlossen, symmetrisch bis auf den letzten Millimeter. Durch die Dicke der Sohlen fühlen sich Oxford-Schuhe (trotz des Kalbsleders) oft ein wenig hart an. Ich laufe seit gut einer Stunde in den Oxford-Schuhen herum, aber ich kann diesmal nicht die geringste Bildung von Druckstellen empfinden. Vermutlich liegt es an der beinahe zärtlich eingesetzten Korkausballung, die diesmal der Zuschneider Zappke vorgenommen hat. Zweitens teste ich heute ein Paar ebenso schwerer, ebenfalls rahmengenähter Budapester, die mir persönlich nicht besonders gefallen, bei vielen Männern aber wieder sehr gefragt sind. Die Lochung ist konventionell, jedenfalls auf den Vorderkappen. Für die Hinterkappen hat sich der Zuschneider ein neues Muster ausgedacht, das den Schuh vermutlich fünfzig Mark teurer machen wird. Die Stanzlöcher haben die gleiche Farbe (Bordeauxrot) wie das Oberleder, was bei manchen Puristen auf Ablehnung stoßen wird. Diese Puristen werden sich allerdings auch an dem Bordeauxrot stoßen, weil nach ihrer Meinung ein derartig teurer und seriöser Schuh nur entweder schwarz oder braun (dunkelbraun) sein kann. Das dritte Paar sind Blucher aus Cordovan (Pferdeleder), das teuerste, was es zur Zeit überhaupt gibt. Der Schuh ist zusammengebaut aus einer extrem hohen Zahl von Schaftteilen, die jeweils einzeln vernäht sind. Die Ränder der Schaftteile sind teilweise außen sichtbar, teilweise im Innern des Schuhs verborgen. Der Blucher ist weich wie eine Wollmütze und bringt, obwohl aus vielen Teilen zusammengesetzt, ein Tragegefühl wie aus einem Guß hervor. Von den drei Paaren wird er die beste Beurteilung von mir bekommen. Habedank verlangt, daß ich jedes Paar mindestens vier Tage lang teste. Daran halte ich mich schon lange nicht mehr. Inzwischen kann ich die Laufqualitäten eines Schuhs, insbesondere seine möglichen Druckstellen an den Fersen und vorne in den Kappen, nach rund einem halben Tag klar ausmachen und zutreffend beschreiben. Ich setze mich in das Gras und sehe auf den öden und gleichzeitig beruhigenden Fluß, der breit und langsam herandrängt. Er glitzert und schimmert im Sonnenlicht wie ein geöffneter Kasten mit Silberbesteck.

Nicht weit von hier beugt sich ein schmaler Fußgänger-Steg über den Fluß. Ein Liebespaar geht über den Steg. Ungefähr in der Mitte des Stegs bleibt das Paar stehen und küßt sich eine Spur zu heftig. Es ist, als fühlte sich das Paar überraschend bedroht und als sei der Kuß eine Maßnahme gegen die Bedrohung. Jetzt, nach dem Kuß, scheint das Paar erleichtert und verläßt in gehobener Stimmung die schmale Brücke. Eine stark vernachlässigte Frau kommt von links den Lehmpfad entlang. Sie ist zwischen fünfzig und sechzig Jahre alt und trägt in der linken Hand einen Koffer. Ihre Kleidung, ihre Schuhe und das Haar sind verschmutzt beziehungsweise teilweise verfilzt. Ich gebe mir Mühe, die Frau nicht zu beachten, was nicht ganz meiner inneren Wahrheit entspricht. Denn ich bin gern in der

Mittag Handtasche, Hut, Schal und Schirm wie zum Weggehen auf der Garderobe zurecht. Aber dann ging sie doch nicht weg. Sie setzte sich auf den Stuhl neben das Telefon und betrachtete Handtasche, Hut, Schal und Schirm. Ich kam nach einer Weile zu ihr und betrachtete mit ihr die für das Weggehen hingelegten und dann doch nicht gebrauchten Dinge. Eine halbe Minute später umarmten sich meine Mutter und ich. Wir drückten uns fest und lachten uns in die Gesichter. Ich nehme heute an, auf diese Weise bändigte meine Mutter ihren Schreck, daß ihr die Welt nicht sehenswert erschien. Inmitten der Erinnerung entsteht in mir das Gefühl der Genügsamkeit. Momentweise glaube ich, es wird genug sein, wenn ich mich ein- oder zweimal in der Woche hier ins Gras setze und auf den Fluß schaue. Ein Zitronenfalter flattert über die Spitzen der Grashalme. Ich habe mich nie dafür interessiert, ob es eine Seele gibt oder nicht, aber plötzlich spiele ich mit dem Gedanken, daß ich vielleicht eine habe. Dabei weiß ich nicht, was eine Seele ist und wie man über sie sprechen könnte, ohne sich zu genieren. Aber ich würde gerne wissen, was ich tun muß, damit sie keinen Schaden nimmt. Damit sie keinen Schaden nimmt! So denke ich und schäme mich nicht der pathetischen Einfalt. Wahrscheinlich ist Seele nur ein anderes Wort für Unbehelligtheit. Sie ist ein kleines buntes Karussell, auf das ich, wenn ich hier im Gras sitze, immer gerade aufspringe. Die Seele sagt dazu nichts, aber ich merke, wie sie immer gerade zum Sprechen anhebt. Wahrscheinlich wird sie niemals etwas sagen, sondern immer nur ein paar Bilder herzeigen: das sich ängstlich küssende Paar, der leere Koffer und die Erinnerung an die Mutter. Im Augenblick interessiere ich mich nur für die Fusseln, die sich immer wieder in meiner Jackentasche bilden. In der Nacht von gestern auf heute bin ich nicht verrückt geworden. Ich habe die auf der Straße aufgesammelten Platanenblätter in Lisas Zimmer ausgebreitet. Ich habe lange auf die Blätter geschaut, und sie haben mir sehr gut gefallen. Ich überlege, ob es gut sein wird, wenn ich Blätter eines bestimmten Baumes oder wenn ich Blätter verschiedener Bäume mit in die Wohnung nehme. Im Augenblick bin ich nur ein wenig davon eingeschüchtert, weil es Mittag wird und ich Hunger verspüre. Ich muß sparen und möchte auf den Besuch teurer Lokale verzichten. Freilich habe ich auch die Nase voll von Bistros und Imbiß-Theken. Noch heute zittern ein paar Erlebnisse in mir nach, die mir vor ein paar Tagen zugestoßen sind.

Ich betrat gegen dreizehn Uhr ein Schnellbuffet und reihte mich ein in eine Schlange hungriger Menschen. Bald merkte ich, daß die Frau hinter der Theke die Menschen, die sie bediente, nicht anschaute. Sie hob nicht mehr das Gesicht, sie sagte immer nur ›der nächste‹, sobald sie einen Teller auf der Glastheke abgestellt hatte. Die Nichtangeschauten nahmen rasch die ihnen zugewiesenen Portionen an sich und verteilten sich an die kleinen Stehtische ringsum. Jetzt erkannte ich, daß das Nichtangeschautwerden zur Folge hatte, daß sich auch die Essenden untereinander nicht anschauten. Erst im Augenblick, als ich meinen Teller abstellte, erschrak ich darüber, daß ich schon wieder ein Billigmenü in einem Billigbuffet zu mir nahm. Aus Scham aß ich schneller. Schon schloß ich aus Peinlichkeit die Augen, wenn ich mir die Gabel in den Mund schob. Das Schließen und Wiederöffnen der Augen ließ mich jedoch affektiert erscheinen. Nach ein paar Minuten zwang mich die Affektiertheit zum Abbruch des Essens. Ich tat so, als sei das Menü zu schlecht für mich. Ich schob den Teller wie ein schlechter Schauspieler in die Mitte des kleinen Tisches und wandte mich ab. Im Wegdrehen merkte ich, daß mindestens zwei der Essenden mein Gehabe nicht ernst nahmen. Sie hatten heimlich erkannt, daß ich, ach, ich weiß nicht, was sie erkannt hatten. So etwas darf mir auf keinen Fall noch einmal passieren. Auch dann, wenn man Ärmel an Ärmel mit anderen Menschen lebt, braucht man die Unangefochtenheit eines Mönchs. Ein wenig stöhnend stehe ich auf und klopfe mir ein paar Gräser von der Jacke. Ich werde die Pferdeleder-Schuhe während des Heimwegs testen. Schon nach ein paar Schritten merke ich, daß es kaum etwas gibt, was ich mehr vermisse als die Unangefochtenheit eines Mönchs. Im langen Umherschauen hat meine Genügsamkeit ihren Namen gewechselt. Sie heißt jetzt Saumseligkeit und darf mich unter diesem Namen wieder neu erschrecken. Es ist wahr, ich bin zu lahm. Meine Umständlichkeit und meine Zerfahrenheit werden mich umbringen. Dabei darf ich mich bei niemandem über diese Eigenschaften beschweren. Ich muß sie hinnehmen und hoffen, daß sie mit der Zeit etwas von ihrer Unmöglichkeit verlieren. Aber die Zeit vergeht, und meine Eigenschaften bleiben. Beinahe von Woche zu Woche werden sie unmöglicher. Ich muß die Zerstreutheit abtöten und weiß doch, daß ich ohne sie nicht leben kann. Es ist klar, daß dieser Konflikt mir die Luft abdrücken oder mich krank machen wird, was in meinem Fall dasselbe bedeutet. Dabei begreife ich nicht einmal, warum ausgerechnet mein Leben der Schauplatz eines derart niederträchtigen Zusammenpralls sein soll. Über Jahrzehnte hin habe ich mir viel Mühe gegeben, ohne Zerwürfnisse zu leben, und ich war lange Zeit erfolgreich. Schon als Kind habe ich damit angefangen, mir einen harmonischen Alltag aufzubauen.

Die ersten Jahre meines Lebens liefen nach diesem Schema ab: Ich stand morgens auf, spielte eine Weile im Schlafanzug und frühstückte dann mit meiner Mutter. Danach ging ich eine halbe Stunde auf die Straße, traf auf dem Spielplatz meine Freunde und durchstreifte mit dem einen oder anderen das nahe Ufervorland, das ich gerade wieder verlasse. Danach trennte ich mich von meinen Freunden, ging nach Hause und wurde dort von meiner Mutter freundlich empfangen. Am nächsten Tag dasselbe von vorne. So ungefähr verlief mein Leben in den ersten Jahren. Meine Mutter schien mit dieser Ordnung einverstanden zu sein, was jedoch ein Irrtum war. Denn bald beendete ausgerechnet sie mein friedliches Leben bei ihr zu Hause und steckte mich in einen Kindergarten. Plötzlich waren sechsundzwanzig fremde Kinder um mich herum, die ich nie habe kennenlernen wollen. Zum ersten Mal gab es etwas, was ich nicht verstand. Das heißt, ich brachte es nicht in Übereinstimmung mit dem, was ich vom Leben und von meiner Mutter bis dahin verstanden zu haben glaubte. Ich brach diesen Versuch des Verstehens ab und suchte nach einem anderen Anfang, der besser zu dem bereits Verstandenen paßte. Auf diese Weise entstand die Vorstellung, daß ich von fast allem, was geschieht, immer nur dessen Anfang begreife. Bald war ich in viele, sich übereinanderschichtende Verstehensanfänge verstrickt, von denen ich nicht mehr sagen konnte, was sie mir eigentlich hatten erklären sollen. Bis heute breche ich das Verstehen ab, beziehungsweise ich gerate in eine Stimmung des kindlichen Wartens, wenn die Kompliziertheit überhandnimmt und ich auf einen neuen Anfang des Begreifens angewiesen bin. Das Problem dabei ist die riesige Menge des nur anfänglich Verstandenen, das sich in meinem Geist anhäuft. Ich gehe durch das strohige, unter der Sonnenbestrahlung fast schon brüchig gewordene Gras des Ufervorlands. Als Kind streifte ich allein oder mit zwei Freunden durch das Gelände und fühlte halbe Tage lang nichts als die sanfte Berührung der Gräser an den Knien. Ich paßte auf, daß ich nicht mit Brennesseln zusammenstieß, ich liebte das Wort Rhabarber, und ich begann, mich von Sauerampfer und Löwenzahn zu ernähren. Sobald ich hier umherging, tauchte ich ein in eine innere Hingerissenheit, die ich sonst nirgendwo fand. Denn das Gras um mich herum mußte ich nicht verstehen. Vermutlich trat ich in diesen Stunden schon unvorstellbar weit in die Merkwürdigkeit des Lebens ein, die bis heute anhält. Alles, was dauert, muß seltsam werden. Ich lasse das Ufervorland hinter mir und biege nach links ab in Richtung Umgehungsstraße. In einem Supermarkt werde ich mir ein kleines Brot und ein Päckchen Spaghetti kaufen. Ich bin dazu übergegangen, mir nur noch zwei Lebensmittel gleichzeitig zu kaufen, also etwa Obst und Butter, Milch und Kaffee oder Brot und Spaghetti. Es erschreckt mich mittlerweile jeder Einkauf, der mich mehr als zehn Mark kostet. Wenn ich dagegen nur zwei Lebensmittel nach Hause trage, habe ich das Gefühl, wieder einmal richtig gehandelt zu haben. In der Dürerstraße wird ein neues Haushaltswarengeschäft eröffnet. Über dem Eingang baumeln Luftballons, ein als Zirkusdirektor verkleideter Angestellter spielt Drehorgel, eine Dame bietet Häppchen an, eine andere schenkt Sekt an die Passanten aus. Der Straßenalkoholismus lockt mich, ich habe schon das zweite Glas in der Hand. Die Häppchen sind mit kaltem Braten, Schinken und Lachs bestückt. Wenn ich es geschickt anstelle, kann ich das Problem des Mittagessens hier im Vorübergehen und auf Kosten des Einzelhandels lösen. Außerdem interessiert mich ein jugendlicher Mongoloider, der sich zur Drehorgelmusik im Kreis dreht und dabei in die Hände klatscht. Wie viele Behinderte trägt auch er Ringelsöckchen und einen viel zu engen Pullover. Den Angestellten des Haushaltswarengeschäfts entgeht nicht, daß der Behinderte die Leute mehr fesselt als die Geschäftseröffnung. Mir gefällt sein glücklich-leeres Gesicht, seine bärenartig tumb vorgetragene Zufriedenheit. Alle quälen sich ab, nur der Behinderte sonnt sich im Glück seiner Abweichung. Zum zweiten Mal nehme ich mir eine Scheibe Weißbrot mit Braten. Als der Behinderte Sekt trinken will, nimmt ihm eine ältere Frau, wahrscheinlich die Mutter, abrupt das Glas aus der Hand. Er scheint diese Zurechtweisung nicht zu bemerken und tanzt weiter. Eine Verkäuferin fragt mich, ob sie mir die Geschenkabteilung zeigen darf. O ja, gern, sage ich und ärgere mich, weil ich mich so schnell habe von meinen Interessen ablenken lassen. Aber da tritt Susanne von hinten an mich heran und rettet mich.

Man sieht sich nie, oder man sieht sich dauernd, ruft sie aus und drängt sich zwischen die Verkäuferin und mich.

Beides ist wahrscheinlich nicht gut, sage ich und biete Susanne mein Glas.

Was machst du gerade? fragt Susanne.

Ich überlege, ob ich diese Kundenabfütterung zu einem Mittagessen ausbauen soll oder nicht.

Das überlegen hier fast alle, sagt Susanne.

Du auch?

Nein, sagt Susanne, ich geh in das NUDELHOLZ, willst du nicht mitkommen?

Ist das ein Eßlokal?

Ja, ganz nett und nicht teuer.

Ich gebe mein Sektglas an die Verkäuferin zurück und mache mich mit Susanne auf den Weg.

Man hält mir im NUDELHOLZ einen Tisch frei, sagt Susanne, weil ich zwei- oder dreimal in der Woche dort zu Mittag esse.

Es gelingt mir, meine Testschuhe unauffällig ein wenig tiefer in meiner Leinentasche zu versenken, weil ich nicht über meinen Job reden will, jedenfalls nicht jetzt. Susanne trägt eine dunkle enge Bluse und einen eleganten grauen Rock mit ein paar schwarzen Knöpfen an der Seitenfalte. Susannes Busen ist in den letzten Jahren üppiger geworden. Zwischen ihren Schneidezähnen haben sich kleine Leerräume gebildet. Susanne geht mit forschen Schritten voran und klagt über ihre Kollegen.

Du glaubst nicht, sagt sie, was für Langweiler und Einfaltspinsel die Anwälte sind.

Ich beobachte kurz ein junges Paar, das sich zu seinem im Kinderwagen sitzenden Kind hinabkniet und mit dem Kind zusammen eine Bratwurst ißt. Susannes Zungenspitze wandert vom linken Mundwinkel zum rechten und wieder zurück. Auch dann, wenn sie nicht spricht, schließt Susanne nicht die Lippen. Das empörende Sprechen gibt ihrem Gesicht Form und Dringlichkeit. Das NUDELHOLZ ist ein kleines, fast enges Lokal. In einem einzigen langgezogenen Raum stehen rund zwei Dutzend Tische, von denen etwa die Hälfte besetzt ist. Wir setzen uns nahe ans Fenster, ich lese in der Speisekarte. Susanne schmäht noch immer die Anwälte in ihrem Büro. Ich beobachte an einem Nebentisch einen älteren Mann, dem eine Kartoffel auf den Boden gefallen ist. Er versucht, die Kartoffel mit der rechten Schuhspitze unter seinen Tisch zu schieben. Ich überlege, ob Susanne das Thema wechselt, wenn ich sie auf den

Mann aufmerksam mache. Statt dessen sagt sie zu mir: Wenn du dich entschieden hast, was du essen willst, mußt du die Speisekarte schließen, damit der Kellner weiß, daß er zu uns an den Tisch kommen kann. Folgsam schließe ich die Speisekarte. Mein Blick ruht starr auf der heruntergefallenen Kartoffel. Wenig später entschuldigt sich Susanne.

Nimm mir die Bemerkung nicht übel, sagt sie, ich hatte heute morgen ein paar Einblicke zuviel in die Niedrigkeit des Lebens.

Schon gut, mache ich.

Susanne nimmt ein paar Schlucke Wasser und betrachtet die Leute, die draußen vorübergehen.

Das Elend der Massen, sagt Susanne (sie sagt wirklich: Das Elend der Massen, ich staune), beruht darauf, daß alle diese armen Leute in ihrem ganzen Leben keinen bedeutenden Menschen kennenlernen. Verstehst du?

Ich nicke und trinke ebenfalls etwas Wasser.

Alle diese Wenzels und Schrothoffs und Seidels (das sind Namen ihrer Kollegen), sagt Susanne, kennen nur andere Wenzels, Schrothoffs und Seidels, dadurch entsteht die Begeisterung für das Durchschnittliche.

Ich stimme Susanne lebhaft zu.

Susanne bestellt Pasta mista, ich begnüge mich mit einem preiswerten Risotto.

Auch ich bin von der Mittelmäßigkeit bedroht, sagt Susanne, obwohl ich mir Mühe gebe, allem Gewöhnlichen aus dem Weg zu gehen. Manchmal sitze ich abends im Bett und muß weinen, weil ich nie wieder Theater spielen kann. Meiner Freundin Christa geht's genauso. Was wollte die alles machen! Philosophie wollte sie studieren, weite Reisen wollte sie machen. Jetzt sitzt sie am Ufer eines stinkigen Baggersees und liest die Fernsehzeitschrift! Und Martina erst! Sie gibt ihr Geld für Klamotten und Kosmetik aus und rennt einem jüngeren Mann nach, der nicht einmal seine Küche von ihr geputzt haben möchte. Und Himmelsbach erst! Kennst du den nicht auch?

Ich nicke.

Himmelsbach ist eine Katastrophe! ruft Susanne aus. Was habe ich den mal bewundert! Fährt nach Paris und will für internationale Zeitschriften fotografieren! Von wegen!

Ich habe ihn neulich mal gesehen, sage ich, ich glaube, es geht ihm dreckig.

Es ist schrecklich, sagt Susanne, auch ich kenne nur noch durchschnittliche Leute.

Ich nehme an, gleich wird Susanne losprusten und mir ins Gesicht sagen: Und du bist ja auch nicht gerade bedeutend! Statt dessen erzählt sie von zwei Germanistinnen, die seit kurzem als Sekretärinnen bei ihr im Büro arbeiten.

Sie reden, als wären sie schon immer Sekretärinnen gewesen, sagt Susanne.

Ich würde Susanne gerne ein Kompliment machen, aber ich fürchte, es würde jetzt wie ein Trost klingen. Susanne seufzt und schaut auf ihre matte Perlenkette herunter.

Ein Glück, daß ich heute nachmittag arbeiten muß, sonst würde ich mich jetzt betrinken.

Wieso? frage ich leise.

Weil ich so deprimiert bin.

Und wie willst du, frage ich, den regelmäßigen Kontakt der Massen mit bedeutenden Menschen organisieren?

Susanne schaut mich an.

Willst du in jedes Mietshaus einen bedeutenden Mann oder eine bedeutende Frau einquartieren mit Sprechstunden täglich von zehn bis eins, außer donnerstags? Oder soll ich meine Situation nicht beschreiben. Selbstverständlich will ich eine Frau, aber mit jetzt sechsundvierzig Jahren fühle ich mich zu alt oder vielmehr zu verschlissen für die Rolle eines Mannes, der noch einmal den Liebhaber geben will. Ich kann nicht mehr sprechen wie ein solcher Mann, ich kann mich nicht mehr verhalten wie ein solcher Mann. Ich bin Susanne nur zufällig wieder nahegekommen. Aber auch meine zufällige Nähe läßt mich spüren, auf wen Susanne eigentlich wartet: auf einen tüchtigen, erfolgreichen, interessanten Mann. Der nur zufällig anwesende Mann (ich) verbringt seine Zeit mit ihr und bemerkt dabei, daß der von Susanne erwünschte/ersehnte/erträumte Mann nicht in ihr Leben tritt. Nur deswegen verbündet sich die übriggebliebene Susanne dann doch mit dem bloß zufällig anwesenden Mann, also mit mir. Erschwerend kommt hinzu, daß Susanne für mich eigentlich zu schön ist. Wirklich schöne Frauen bringen mich immer nur auf einen Gedanken: Für die bist du nicht gut genug. Nur bei weniger hübschen und weniger intelligenten Frauen denke ich, die sind wie du, die werden sich nicht wundern, wenn ich mich um sie kümmere. Trotzdem gehe ich jetzt wie ein Mann, der darauf achtet, daß Susanne entgegenkommenden Passanten nicht gar zu oft ausweichen muß. Susanne redet darüber, daß sie am Nachmittag die Akten für einen Prozeß zusammenstellen muß, der morgen früh am Landgericht von ihrer Sozietät wahrgenommen wird. Sie spricht mit einer gewissen Abschätzigkeit in der Stimme. Wir gehen jetzt gegen die Sonne. Susanne zieht eine schwarze Sonnenbrille aus ihrer Handtasche und setzt sie sich auf. Das leidende Sprechen nimmt mich stark für sie ein. Sie sieht jetzt wirklich aus wie eine Schauspielerin, die nie mehr auf ihre früheren Erfolge angesprochen werden will.

Ich darf nicht daran denken, daß Susanne in Wahrheit nur ein *einziges* Engagement hatte, das noch dazu gar kein echtes Engagement war. Die damals vierundzwanzigjährige Susanne hatte seinerzeit einen ebenso jugendlichen Geliebten, der praktisch berufslos war, sich aber für einen kommenden Theatermann hielt. Er steckte eine Erbschaft (sein Vater war Zahnarzt) in die Gründung eines Zimmertheaters und ließ Susanne darin auftreten. Ihr Geliebter war ein ebensolcher Laie wie sie. Es hatten sich zwei Amateure gefunden, die wie Professionelle auftraten, ohne Einspruch der Realität. Das heißt, nach ungefähr zwei Jahren traf dieser Einspruch doch ein. Das Vermögen des Liebhabers war aufgebraucht, ausreichend Zuschauer waren nicht gekommen, das Theater mußte geschlossen werden. Das Ende des Theaters war auch das Ende von Susannes Schauspielerei. Aber im Augenblick sieht es so aus, als sei diese Geschichte nie wahr gewesen. Susanne geht mit schnellen Schritten und lodernder Melancholie dahin. Es ist, als könne ihre Trauer jederzeit von ihr verlangen, daß ihre Geschichte noch einmal von vorne losgeht. Aber jetzt, sagt Susanne vor den Türen der Kanzlei, jetzt gehe ich wieder in die Realität! Sie lacht kurz, dreht sich um und ist verschwunden.

Ich gehe weiter in Richtung Markt. Es gibt dort, zur Rheinstraße hin, ein paar Stände mit Lebendvieh. Dort werde ich mich auf eine Bank setzen und überlegen, was ich tun soll. Wahrscheinlich weiß Susanne selbst nicht, ob sie mich für durchschnittlich oder vielleicht gar für bedeutend halten soll oder nicht. Kurz vor der Rheinstraße kommt mir Scheuermann entgegen, mein ehemaliger Klavierlehrer. Er verlangsamt seinen Gang, er will vielleicht mit mir sprechen, aber es gelingt mir, ihm auszuweichen. Vor ungefähr zweiundzwanzig Jahren gab mir Scheuermann eine einzige Klavierstunde. Es hätten mehr werden können, aber nach der ersten Stunde war ich mir selbst so peinlich geworden, daß ich den Klavierunterricht für beendet erklärte. Vermutlich will Scheuermann mir bis heute sagen, daß ich nicht so streng mit mir selber sein soll und daß der Klavierunterricht jederzeit wiederaufgenommen werden kann. Aus der Rheinstraße dringt ein Geruch aus Haarspray, Benzin, Bratwurst, Rauch und Hühnerkot. Durch den Verkehrslärm hindurch höre ich das Piepen der Küken, die in flachen Käfigen auf dem Boden ausharren. In der Nähe eines Standes mit Gänsen und Hühnern setze ich mich auf eine Bank. Weit und breit gibt es niemanden, der meine peinlichen Gedanken darüber verscheucht, ob ich für Susanne bedeutend genug bin oder nicht. Dabei ist die Antwort darauf einfach: Meiner Bildung nach könnte ich bedeutend sein, meiner Stellung nach nicht. Wirklich bedeutend sind nur Personen, die ihr individuelles Wissen *und* ihre Position im Leben haben miteinander verschmelzen können. Außenstehende Leute wie ich, die nur gebildet sind, sind nichts weiter als moderne Bettler, denen niemand sagt, wo sie sich verstecken sollen. Um mich von meinen törichten Erörterungen zu erholen, betrachte ich eine ältere Rollstuhlfahrerin, die ihren Rollstuhl unter einem vorspringenden Zeltdach parkt und im Sitzen eine Bratwurst ißt. Es verwirrt mich, daß ich nach so vielen Jahren darüber nachdenke, ob ich mich Susanne nähern soll oder nicht und daß der Auslöser dieser Überlegung nur ein zufälliges Zusammentreffen in Susannes Mittagspause war. Ich kenne Susannes Busen sozusagen von Kindheit an, habe ihn aber viele Jahre nicht gesehen und nicht berührt und kann mir deswegen vielleicht nicht mehr einbilden, ihn zu kennen. Wie merkwürdig allein der Gedanke ist, den Busen einer Frau ›kennen‹ zu wollen! Inmitten dieser komischen Zustände verläßt mich der Mut, das Leben fortsetzenswert zu finden. Vielleicht sollte ich auch eine Bratwurst essen. Ich habe keinen Hunger mehr, aber während der Vertilgung einer Bratwurst fällt mir vielleicht ein Wort für die Gesamtmerkwürdigkeit allen Lebens ein. Ich bin nicht der einzige, der während des Stillstands des eigenen Lebens kleine Tiere betrachtet. An den verkniffenen Gesichtern einzelner Männer und Frauen ist leicht zu sehen, daß sie sich niemals ein Huhn kaufen werden. Sie verharren nur stumm vor den Käfigen und hoffen darauf, daß ihnen plötzlich ein klärender Gedanke kommt. Seit einer halben Minute sitzen zwei ältere Frauen neben mir auf der Bank und reden über Balkonblumen und Düngeprobleme.

Nur der Efeu ist winterhart, sagt die eine.

Ja schon, sagt die andere, aber der Efeu wächst mir zu schnell.

Ich will das Gespräch der beiden Frauen nicht mithören und gehe deswegen ein wenig umher. An einem Geflügelstand drückt eine Bäuerin gegen das Gestänge jeden Käfigs eine oder zwei Tomaten, die die Tiere von der Innenseite der Käfige rasch aufpicken. Plötzlich kehrt das Wort winterhart in mein Bewußtsein zurück. Ich frage mich, ob ich selbst winterhart bin. Ich bin es nicht, im Gegenteil, zur Winterhärte hat mir immer viel gefehlt, ich bin ja nicht einmal sommerhart! *Mit* einer Frau bin ich/wäre ich allerdings etwas winterhärter als ohne. Sollte es möglich sein, daß das zufällig gehörte Wort winterhart vielleicht den Ausschlag gibt, daß ich mich Susanne erneut zuwende? Wieder zieht die Gesamtmerkwürdigkeit allen Lebens durch mich hindurch. Es beginnt leicht zu tröpfeln. Ich stelle mich unter das Zeltdach, unter dem immer noch die Behinderte parkt. Ihre Bratwurst hat sie inzwischen gegessen. Sie betrachtet reglos den immerzu zitternden Kamm eines Hahns. Dann öffnet sie ihre Handtasche und holt eine Plastikfolie heraus. Sie faltet sie auseinander und wickelt sich selbst vollständig in die Folie ein. Es stört sie nicht, daß es nur wenige Tropfen sind, gegen die sie sich so vehement schützt. Zum Schluß zieht sie sich eine Plastikkapuze über den Kopf und schaltet den Elektromotor ihres Rollstuhls an. Schon summt sie davon, ein unendlich verklumptes Gebilde. Ich schaue ihr nach, solange ich sie sehe. Dann gehe ich selbst nach Hause. Ich muß dringend die Gutachten für Habedank tippen, und ich habe das Gefühl, heute nachmittag werde ich es schaffen. Ich freue mich sogar auf das Nachhausekommen, was schon lange nicht mehr der Fall war. Aber wenn ich auf eine halbwegs anständige Weise ermüdet bin, wie jetzt, kann ich damit aufhören, mein Leben zu verdächtigen.

die Auswirkungen des Dünkels gekämpft, heute nicht mehr. Natürlich muß ich mich, wenn ich mit Habedank zusammen bin, besonders anstrengen. Er soll von meinem Dünkel nichts bemerken. Er glaubt, elektrische Eisenbahnen seien auch mein Hobby, er glaubt, ich lese, genau wie er, bis heute Fachzeitschriften über die frühen Produkte vor allem von Trix und Fleischmann. Er merkt nicht, daß ich ein seit meiner Kinderzeit stehengebliebenes Wissen immer nur für ihn noch einmal und noch einmal abrufe. Es kann auch sein, daß mir Habedank eine öde Geschichte erzählt, die ich mit routinierter Anteilnahme anhöre. Vor drei Wochen brauchte er fast zehn Minuten, um mir das Ende seines Urlaubs zu erzählen. Er hatte während der ganzen Fahrt von Italien nach Deutschland denken müssen, daß ihm das Benzin ausgeht. Dann aber kam er doch ohne Zwischenfall bis vor seine Haustür. Das war/ist schon die ganze Geschichte. Ich saß zehn Minuten reglos vor seinem Schreibtisch und lachte beglückt, als Habedank am Ende seiner Erzählung ausrief: Der Sprit reichte! Stellen Sie sich das vor! Der Sprit reichte! Mein Dünkel besteht aus einem fast permanenten Zusammenstoß von Demut und Ekel. Beide Kräfte sind ungefähr gleich stark. Einerseits mahnt mich die Demut: Gerade die idiotischsten Geschichten deiner Mitmenschen sollst du dir anhören! Und gleichzeitig stichelt der Ekel gegen mich: Wenn du jetzt nicht fliehst, gehst du in den Ausdünstungen deiner Mitmenschen unter! Das Gemeine ist, die Zusammenstöße lassen es nie zu einem Ergebnis kommen. Sie wiederholen sich immer nur. In einer solchen Wiederholung befinde ich mich, als ich mich Habedanks Büro nähere. Ich bilde mir ein, auf alles vorbereitet zu sein, und muß zugleich über diese Einbildung innerlich lachen. Habedank und der Einkäufer Oppau haben durchgesetzt, daß das Büro rauchfrei wurde. Deswegen geht die immer noch rauchende Frau Fischedick, eine Einkäuferin, außerhalb des Büros auf und ab und raucht und grinst. Sie hebt die Arme und winkt mir zu. Ich merke, Frau Fischedick möchte im Büro sein, wenn ich mit Habedank spreche. Sie drückt ihre Zigarette aus und betritt kurz nach mir das Büro.

Habedank sitzt an seinem langen schwarzen Schreibtisch und erhebt sich, als er mich sieht.

Ahhh! Unser Meistertester! ruft er.

Mein Dünkel lächelt ein wenig. Ich gehe über einen weichen grauen Teppichboden. Entlang der Wände zieht sich eine indirekte Beleuchtung hin. Die Jalousien an den Fenstern sind geschlossen, es herrscht mild gedimmtes Licht. Links steht der Schreibtisch von Herrn Oppau, rechts der von Frau Fischedick, an der Stirnseite der von Habedank. Er öffnet sein Sakko. Ich sehe einen handgroßen Blutfleck auf seiner Hemdbrust. Ich starre Habedank an, Habedank starrt mich an.

Ich bin leider angeschossen worden, sagt Habedank.

Von wem? frage ich.

Von einem gefeuerten Tester.

Oh, mache ich.

Herr Habedank, Herr Habedank, sagt Frau Fischedick.

Wie gefällt Ihnen das Blutbad? fragt Habedank und sinkt in seinen Drehsessel zurück.

Glauben Sie ihm nichts! sagt Frau Fischedick.

Herr Habedank gehört zu den vielen Menschen, die sich einen natürlichen Tod verdient haben, sagt Herr Oppau.

Die letzte Bemerkung gefällt mir, ich nehme auf dem Besucherstuhl Platz und lege meine Gutachten auf Habedanks Tisch.

Es ist mir nur ein Filzstift in der Hemdtasche ausgelaufen, sagt Habedank.

Ich kommentiere diese Bemerkung nicht. Habedank blättert die Gutachten durch. Ich hole ein Paar rahmengenähter Full-Brogues und die Pferdeleder-Schuhe aus meinen Taschen heraus und erkläre weitschweifig, warum ich sie für die besten Schuhe der letzten Partie halte. Habedank, Oppau und Frau Fischedick hören mir zu. Ich bilde mir ein, es ist ein Vergnügen, mich über Schuhe sprechen zu hören. Vermutlich ist es kein Zufall, daß ich über Schuhe wie über erweiterte Körperteile rede. Wer wie ich leben muß, ohne die Genehmigung zu diesem Leben erteilt zu haben, ist aus Fluchtgründen viel unterwegs und legt deswegen auf Schuhe größten Wert. Ich könnte sagen, aber ich denke es nur: Die Schuhe sind das Beste an mir. Über die anderen Schuhe, die mir mangelhaft zugeschnitten erscheinen, spreche ich nur kurz. Es ist immer wieder dasselbe: Sie sind zu eng und zu hart verfugt, die Nähte befinden sich an den falschen Stellen, die Eleganz geht auf Kosten der Bequemlichkeit. Habedank befühlt die Schuhe, während ich über sie spreche. Momentweise habe ich den Eindruck, meine Arbeit ist wichtig und sinnvoll. Ich weiß sonst keine andere Arbeit, bei der die Gefühle eines einzelnen Menschen (stellvertretend für die der anderen) eine so ausschlaggebende Rolle spielen. Am Ende meiner Erläuterungen holt Habedank das Scheckheft aus seiner Schublade. Für jedes Gutachten zahlt mir die Firma Weisshuhn zweihundert Mark. Das bedeutet, daß mir Habedank einen Scheck über zwölfhundert Mark über den Schreibtisch schiebt. Danach greift er hinter sich und stellt vier Paar neuer Schuhe auf die Schreibtischplatte. Schon an ihrer Form kann ich erkennen, von welchen Zuschneidern sie stammen. Ich verstaue die Schuhe in meinen Leinentaschen. Es kann jetzt nur noch Sekunden dauern, dann wird mich Habedank auffordern, mit ihm eine Tasse Kaffee zu trinken. Dann werden wir über elektrische Eisenbahnen aus den fünfziger Jahren reden.

Die Firma muß leider sparen, sagt er statt dessen.

Mir fällt dazu nichts ein; ich warte auf seinen nächsten Satz.

Ich will damit sagen, sagt Habedank, daß ich Ihnen in Zukunft pro Trageeinheit, also pro Paar Schuhe, nur noch fünfzig Mark zahlen darf.

Das ist aber drastisch, sage ich.

Die Situation hat sich geändert.

So plötzlich?

Ja, sagt Habedank, wir haben mächtig Konkurrenz bekommen; der Luxus prosperiert, das merken auch andere.

Ahh so, mache ich.

Zum Ausgleich dürfen Sie die von Ihnen geprüften Schuhe behalten, sagt Habedank.

Im Büro ist es jetzt still. Plötzlich weiß ich, warum Frau Fischedick und Herr Oppau die ganze Zeit den Raum nicht verlassen haben. Sie wollten hören, wie Habedank sich ausdrückt, nein, sie wollten sehen, wie ich die Herabstufung aufnehme. Dabei gibt es nichts zu sehen. Ich überlege nur, ob Habedank mir eigentlich mitteilen wollte, daß ich selber den Job aufgeben möge. Aber warum hat er mir dann vier Paar neuer Schuhe ausgehändigt? Offenbar legt man auch in Zukunft Wert auf meine Arbeit, allerdings nur zu einem Viertel des alten Preises, wenn ich einmal von dem Warengeschenk absehe. Aber was soll ich mit soviel neuen Schuhen anfangen? Ich werde sie horten oder verschenken müssen.

Es tut mir leid, sagt Habedank, ich habe diese Honorarkürzung nicht beschlossen, ich muß sie Ihnen nur mitteilen.

Ich nicke. Genaugenommen bin ich nicht wirklich überrascht. Es sind solche Situationen, die zur Entstehung meines Gefühls beigetragen haben, daß ich ohne innere Genehmigung lebe. Situationen dieser Art habe ich schon oft durchlebt. Ich habe nicht einmal Lust, die Sätze zu wiederholen, die ich nach solchen Erlebnissen schon oft gedacht habe und die ich auch jetzt wieder denken könnte. Unglück ist langweilig. Ich warte, ob Habedank mich zum Kaffeetrinken in der Kantine auffordert. Aber die Aufforderung bleibt heute aus. Offenbar handelt es sich dabei um ein Stück Einfühlung in meine Lage. Habedank knüllt ein Stück Cellophanpapier zusammen und legt es auf die Schreibtischplatte. Das zusammengepreßte Knäuel knistert langsam wieder auseinander. Im Augenblick, als ich dem Knistern zuhören möchte, stehe ich auf und sage zu Habedank: In etwa drei Wochen haben Sie die neuen Gutachten.

Eine Minute später warte ich auf die S-Bahn, mit der ich nach Hause fahren werde. An einer Pommesbude kauft sich ein Behinderter eine Dose Bier. Der Mann hat keine Arme, dafür aber Hände, die dicht an den Schultern angewachsen sind. Vier Schritte neben mir versuchen zwei Krähen, mit ihren Schnäbeln einen mit Abfällen gefüllten Plastiksack aufzureißen. Mit der rechten Schulterhand (oder soll ich besser Hand-Schulter sagen?) drückt sich der Behinderte die Dose gegen den Hals und öffnet sie mit den Zähnen. Die Krähen haben den Plastiksack geöffnet. Sofort fliegen Orangenschalen, Joghurtbecher und Pizzakartons auf dem Bahnsteig herum. Das öffentliche Elend ist widerlich, aber es drückt auch mein Grauen aus. Gibt es eine allgemeine Verwahrlosung, oder gibt es keine allgemeine Verwahrlosung? Für beide Möglichkeiten sehe ich zahlreiche Anhaltspunkte. Ich starre auf den Abfall und entscheide: Es gibt eine allgemeine Verwahrlosung. Ich warte auf den Tag, an dem alles, was lebt, seine Peinlichkeit eingesteht. Eine Mutter mit Kinderwagen erscheint am Treppenaufgang der S-Bahn-Station. Das Kind beißt mit kleinen spitzen Zähnen an einem Luftballon herum. Wenn die Zähne am Gummi abgleiten, entsteht ein knarzendes, knirschendes Geräusch, das ich noch vor wenigen Jahren nicht aushalten konnte. Da summt die S 7 heran. Die Mutter mit Kinderwagen läßt sich von mir die S-Bahn-Türen öffnen. Ich weiß nicht, wie es gekommen ist, daß ich mich an dem Reibegeräusch zwischen Zähnen und Gummi nicht mehr störe. Ich sehe darin ein Zeichen der Hoffnung. Es gibt offenbar auch Widerstände, die sich irgendwann selbst auflösen. Das könnte bedeuten, daß ich mich doch dem Tag nähere, an dem ich *mit* innerer Genehmigung werde leben können. Ich nehme meinen Befund zurück und entscheide neu: Es gibt keine allgemeine Verwahrlosung. Ich wage nicht, die Mutter auf den Schreck hinzuweisen, der dem Kind droht, falls der Luftballon platzt. Es müßte eine spaßige *und* mahnende Bemerkung sein. Aber ich finde keine Worte, die Scherz und Warnung elegant verbinden und meine Angst gleichzeitig verschleiern. Schon gestern abend im Bett, kurz vor dem Einschlafen, habe ich gewußt, daß sich in meinem Geldbeutel noch zwei S-Bahn-Fahrscheine befinden, von denen ich jetzt den zweiten herausziehe und in den Entwerter stecke. In welch sorgfältige Handlungen die größeren Unglücke eingebettet sind! Vermutlich werde ich den Job bei Weisshuhn aufgeben müssen. Die Demütigung, nur für ein Viertel des alten Honorars zu

Und, frage ich statt dessen, kommst du klar?

Neulich wollten sie mich zum ersten Mal einer Einundneunzigjährigen beistehen lassen, aber die Frau hat mich nach einer halben Stunde weggeschickt.

Jetzt lachen wir beide und sehen dabei aneinander vorbei.

Du bist ihr wahrscheinlich wie der Tod persönlich vorgekommen, sage ich.

So habe ich das noch nie gesehen.

Als Sterbender ist man doch gekränkt über jeden, der weiterlebt, sage ich.

Du sprichst, sagt Regine, als wärst du schon einmal gestorben.

Klar doch, sage ich, schon öfter, du etwa nicht?

Wir lachen, und ich weiß nicht, ob Regine meine letzte Bemerkung versteht. Sie streckt mir die Hand hin und verabschiedet sich.

Ruf mich mal an, sagt sie im Weggehen.

Ich brauche keine Sterbebegleiterin, will ich ihr nachrufen, aber ich unterdrücke den Satz im letzten Augenblick.

Kurz darauf fällt mir ein, daß Regine und ich sogar schon einmal *zusammen* gestorben sind. Ich interviewte sie zuerst über Urlaub und Fernreisen, dann sie mich über Konserven und Fertigmenüs. Hinterher lagen wir erschöpft auf ihrem Teppichboden. Wir tranken eine halbe Flasche Wein und alberten herum, bis uns die Augen zufielen. Als wir aufwachten, zogen wir uns aus und schliefen miteinander. Dann geschah etwas Merkwürdiges. Regine lag neben mir und betrachtete ihren nackten Oberkörper. Ich merkte eine Weile nicht, daß sie schweigsam und traurig geworden war. Sie forderte mich auf, ich solle ihre Brüste anschauen. Das mache ich sowieso die ganze Zeit, habe ich darauf geantwortet, glaube ich. Aber offenbar nicht genau genug, sagte sie. Worauf willst du hinaus? fragte ich. Hast du bemerkt, daß sich meine Brustwarzen nicht mehr aufstellen? Regine hatte große längliche Brustwarzen, auf die sie stolz war. Daß sie sich bei erotischen Ereignissen aufstellten, war ihr stets ein Beweis für ihre Vitalität. Jetzt waren sie seitlich ein wenig eingeknickt oder umgelegt oder in den Warzenhof eingedrückt. Ich hatte die Veränderung bemerkt, aber ich hielt sie für bedeutungslos. Nur langsam ging mir auf, daß Regine körperlich irritiert war. Dann sagte ich auch noch, sie solle ihre Brustwarzen nicht so wichtig nehmen. In diesen Augenblicken sind wir zuerst gemeinsam verstummt und dann als Paar gemeinsam verstorben.

In der Wohnung öffne ich die Fenster, lege mich auf den Boden und schalte den Fernsehapparat ein. Ich erwische einen Film über Blaufußtölpel auf den Galapagos-Inseln. Es sind große, weißgefiederte Vögel mit blauen Füßen. Sie haben Ähnlichkeit mit Gänsen und bewegen sich ähnlich tapsig. Auf den Galapagos-Inseln finden sie ideale Brutplätze, sagt der Sprecher. Die Vögel nisten auf dem Boden, die Gewässer ringsum sind fischreich und sauber. Tölpel heißen sie, weil sie zum Fliegen einen langen Anlauf nehmen und dabei ihre üppigen Körper unelegant bewegen müssen. Mir gefallen die Blaufußtölpel, im Augenblick wäre ich selbst gern einer. Daß man mich im Fernsehen dann ebenfalls Tölpel nennen würde, wäre mir egal, denn als Blaufußtölpel wüßte ich endlich nichts mehr von Worten und ihren Bedeutungen. Es ist möglich, daß mich die wunderbaren weißen Körper der Tiere an den kleinen weißen Körper von Margot erinnern. Vielleicht ist auch das Zusammentreffen mit Regine daran schuld, daß ich plötzlich Verlangen nach einer Frau empfinde. Ich schalte den

Fernsehapparat ab. Ein Hemdknopf löst sich und rollt ein Stück auf dem Boden entlang. Ich schaue ihm nach, bis er umkippt und liegenbleibt. Durch die Mauern hindurch höre ich, wie die Kinder in der Nebenwohnung Arschloch und dumme Sau zueinander sagen. Das heißt, sie toben und rasen im Zimmer umher und schreien sich dabei die Worte Arschloch und dumme Sau entgegen. So ungefähr müssen die Kinder gewesen sein, die Lisa krank gemacht haben. Ich möchte Lisa anrufen und fragen, wie es ihr geht, aber ich möchte nicht, daß Renate an den Apparat geht und ich dann mit ihr reden muß. Reglos höre ich Arschloch, Arschloch rufen in der Nebenwohnung. Unter den neuen Schuhen, die mir Habedank mitgegeben hat, ist ein Paar kaum bezahlbarer, rahmengenähter Loafer aus echtem Chevreau. Sie tragen sich wunderbar. Es ist kurz nach fünfzehn Uhr. Vermutlich hat Margot jetzt keinen Kunden und ißt einen Teller Suppe aus dem mittleren Waschbekken. Die Katze wird im Waschbecken links liegen und schlafen. Ich verlasse die Wohnung und gehe zu Margot. Wahrscheinlich wird sie überrascht sein, mich so schnell wiederzusehen. Ich gehe hinter einer Japanerin her, die im Gehen einen Apfel ißt. Der Apfel ist klein, er paßt zu den Händen der Japanerin, die ebenfalls klein sind, und zu ihrem Mund, der so klein ist, daß er als Mund kaum auffällt. Nach kurzer Zeit ist der Apfel aufgegessen, die Japanerin hält den Apfelkrutzen in ihren kleinen Händen. Oder heißt es Apfelbutzen? Wenn ich mich nicht täusche, habe ich in meiner Kindheit Apfelbutzen gesagt, später dann immer öfter Apfelkrutzen. Oder war es umgekehrt? Warum ging ich von Apfelbutzen zu Apfelkrutzen über, wozu es doch, von heute aus gesehen, nicht die geringste Notwendigkeit gab? Die Japanerin wickelt den Apfelkrutzen in ein

Papiertaschentuch ein. Ich muß nach links abbiegen, aber weil ich sehen will, was die Japanerin jetzt mit dem Apfelkrutzen (Apfelbutzen) macht, benehme ich mich ein bißchen wie ein Ecksteher und schaue herum. Wundersame Ehrfurcht vor der Fremdheit! Die Japanerin hat nicht den Mut, den Apfelbutzen (Apfelkrutzen) einfach auf die Straße oder in einen Vorgarten zu werfen. Sie verstaut den Apfelrest in ihrem winzigen Handtäschchen, das man ebensogut Apfelkrutzentäschchen nennen könnte. Bis zu Margot fehlen mir nur noch wenige Schritte. Ein leises Zucken in den Knien verrät mir, daß ich erregt bin. In Margots Schaufenster sind alle drei Neonröhren eingeschaltet. Da öffnet sich die Tür, und aus Margots Salon tritt Himmelsbach heraus. Das hätte nicht passieren dürfen. Himmelsbach geht nach rechts, so daß er mich nicht sieht. Auf einen Schlag ist klar, daß ich jetzt nicht auch noch zu Margot gehen kann. Wahrscheinlich kann ich das nie mehr. Ich kann nicht erkennen, ob sich Himmelsbach die Haare hat schneiden lassen oder nicht. Leise und erfolglos schimpfe ich eine Weile gegen die Verschwiegenheit des Lebens. Schon eine Ecke weiter fällt mir ein, daß ich selbst ohne diese Verschwiegenheit schon längst tot wäre. Auf dem Grund dieses Widerspruchs erkenne ich für Augenblicke das Gewebe meiner Verrücktheit. Wenn du eines Tages überschnappen wirst, denke ich, dann hat dich diese sich immerzu öffnende und wieder schließende Schere zerschnitten. Himmelsbach trägt einen dunklen Schlapphut mit breiter Krempe. Dieses lächerliche Künstlergehabe! Leider werde ich eifersüchtig, sogar auf der Straße. Gleichzeitig tut mir Himmelsbach leid. Er sieht noch heruntergekommener aus als letzter Tage. Ich gehe eine Weile ohne Plan hinter Himmelsbach her. Vielleicht nimmt er den Hut einmal ab, dann wüßte ich Bescheid. Auf keinen Fall darf er mich sehen, ich möchte nicht mit ihm reden. Er darf nicht merken, daß ich über ihn und Margot nachdenke. Am besten wäre, Himmelsbach würde sich irgendwo hinsetzen, den Hut abnehmen und ein bißchen nachdenken und nachsinnen. Aber Himmelsbach ruht nicht aus und sinnt nicht nach, das sind meine Gewohnheiten, nicht seine. Seine Hose sieht aus, als wäre sie nur ausgeliehen. Himmelsbach greift in seine Jackentasche und holt ein paar Sonnenblumenkerne heraus. Er knackt sie einzeln mit den Schneidezähnen und pult dann mit den Fingernägeln den weichen Kern hervor. Leider frage ich mich, ob Margot eine Frau ist, die mit Gelegenheitsprostitution ihre Einnahmen aufbessert. Dabei habe ich keine Lust, über Probleme nachzudenken. Das habe ich in meinem Leben schon zu oft getan, ich fühle mich inzwischen zu alt dafür. Ich suche nach einer Ablenkung. Ich möchte wenigstens auf dem Ufervorland umhergehen und dann und wann an einem Baum hochschauen und das Licht zwischen den Blättern beobachten. Aber das Ufervorland ist gerade nicht zur Hand, ich muß mich mit gewöhnlichen Vorstadtstraßen zufriedengeben. Es darf keinesfalls soweit kommen, daß ich mein Leben nur noch während des Umhergehens erträglich finde. An der Art und Weise, wie Himmelsbach geht, kann ich nicht erkennen, ob er gerade beigeschlafen hat oder nicht. Ich versuche, mich vorübergehend in zwei Personen aufzuspalten, in einen trockenen Streuner, der an diesem Tag Arbeit und Frau verloren hat, und in einen tätigen Phantasten, der davon nichts wissen will. Die Spaltung gelingt, jedenfalls für eine Weile. Schon fällt mir der starke Geruch der Lindenblüten auf, die es hier geben muß. Kurz darauf kommt zwischen zwei parkenden Autos ein schielender Hund hervor. Ich habe nicht gewußt, daß es schielende Tiere überhaupt gibt. Der Hund trottet an mir vorüber, ich kann ihm sowenig in die Augen schauen wie einem schielenden Menschen. Ich bin ihm sehr dankbar für die Zerstreuung, die er in mir hervorruft. Auch einer Lehrerin bin ich dankbar, aus dem gleichen Grund. Sie steht mit einem Dutzend Schüler an einer Straßenbahn-Haltestelle. Plötzlich sagt die Lehrerin zu den Kindern: Nehmt den Leuten nicht soviel Platz weg, sondern stellt euch raumsparend auf! Diese Bemerkung nimmt mich sofort gegen die Lehrerin ein. Es gelingt mir eine innere Empörung wie schon lange nicht mehr. Stellt euch raumsparend auf, murmle ich vor mich hin, mit solchen Sätzen beginnt das Elend. Die Lehrerin behandelt die Kinder wie Sonnenschirme oder Klappstühle, die man je nach Bedarf mal dahin und mal dorthin buchten darf. Ist es ein Wunder, daß die Menschen von Kindheit an die Lebensgenehmigung verweigern? Dann läßt die Aufspaltung meines Bewußtseins schon wieder nach. Die abgelehnten Erlebnisse kehren stückweise zurück. Mein Gehen ist jetzt nichts weiter als ein seltsames Zusammenspiel von Wehmut und Starre. Ich gestehe mir ein, es wäre schmerzlich, wenn ich Margot nicht wiedersehen könnte. Ich beschimpfe sie, aber es wird mir nicht besser dabei. Liebe Margot, mußtest du mich ausgerechnet mit Himmelsbach verletzen? Ich erinnere mich an einen Spruch, den ich als Sechzehnjähriger über Krankenschwestern, Sekretärinnen und Friseusen gedacht habe: Dumm fickt gut. Der Spruch stammte nicht von mir, ich habe ihn nur nachgeplappert, ich hatte damals weder von Krankenschwestern, Sekretärinnen, Friseusen noch von irgendwelchen anderen Frauen eine Ahnung. Ich versuche, die Erinnerung an den Spruch dem von mir abgespal-

ses Gestrüpp. Es ist täglich da, es leistet Widerstand, indem es nicht verschwindet, es klagt nicht, es spricht nicht, es braucht nichts, es ist praktisch unüberwindbar. Ich empfinde Lust, meine Jacke auszuziehen und sie in hohem Bogen in das Gestrüpp zu werfen. Auf diese Weise hätte ich vielleicht Anteil an der Beharrungskraft des Gestrüpps. Schon das Wort Gestrüpp beeindruckt mich. Es ist vielleicht *das* Wort für die Gesamtmerkwürdigkeit allen Lebens, nach dem ich schon so lange suche. Das Gestrüpp drückt meinen Schmerz aus, ohne mich anzustrengen. Ich schaue auf das staubige Gewirr seiner Blätter, auf denen Vogelkot herunterläuft oder fest geworden ist, ich schaue auf die vielen, von Kindern abgeknickten oder abgerissenen und doch nicht entmutigten Äste und auf die peinigenden Abfälle, die sich um die Wurzeln der Sträucher herum sammeln und diese doch nicht beeinträchtigen. Wenn das Gefühl der Merkwürdigkeit eines Tages zu stark wird, werde ich hierhergehen und meine Jacke in das Gestrüpp werfen. Ich möchte die Jacke als Zeichen zwischen den Ästen liegen sehen. Das Bild wird ganz eindeutig sein und doch von niemandem erkannt werden. Ich werde, wann immer ich will, an der Jacke vorübergehen und sie dabei bestaunen können, wie sie durch immer neue Schmerzverarbeitung zwar älter und unansehnlicher, in Wahrheit aber so unüberwindbar wie das Gestrüpp wird. Ich dagegen werde die Jacke wie meinen überlebenden Doppelgänger bewundern und dabei, jedenfalls momentweise, schmerzfrei sein. Ich kann nicht völlig ausschließen, ob ich vielleicht in *diesen* Augenblicken verrückt werde. Fest steht in jedem Fall, daß ich verrückt geworden sein werde, wenn ich meine Jacke tatsächlich in das Gestrüpp geworfen haben werde. Soweit ist es im Augenblick noch nicht. Ich stelle mir gern ein gespieltes Verrücktsein vor, das mir helfen soll, unangefochten zu leben. Zuweilen, für Minuten nur, sollte das gespielte Verrücktsein in ein echtes übergehen und meine Distanz zur Wirklichkeit vergrößern. Freilich müßte es mir möglich sein, jederzeit wieder zum Spiel zurückzukehren, sobald mir die echte Verrücktheit zu nahe tritt. Vermutlich wird sich dann zeigen, daß die Menschen erst dann glücklich sein können, wenn sie zwischen gespielter und echter Verrücktheit jederzeit wählen können. Ohnehin habe ich schon oft beobachtet, daß die Menschen eine natürliche Neigung zur Geisteskrankheit haben. Ich wundere mich, daß nicht viele Personen endlich eingestehen, daß ihre Normalität nur gespielt ist. Auch die Familie, die soeben an mir vorübergeht, ist gemeinschaftlich verrückt. Ein Mann, eine Frau und eine Oma machen sich über ein Kind lustig. Das Kind ist noch klein, es sitzt im Kinderwagen und kann nichts. Es kann den Kopf nicht halten, es kann nicht greifen, es kann den Mund nicht richtig öffnen, es kann nicht schlucken. Jedesmal, wenn das Kind wieder etwas nicht kann (im Augenblick läuft ihm die Spucke aus dem Mund heraus), kreischen der Mann, die Frau oder die Oma vergnügt auf. Sie bemerken nicht, daß ihr derbes Entzücken für das Kind höhnisch ist, obwohl sie beobachten könnten, daß der unruhig fliehende Blick des Kindes nach einer weit entfernten Zuflucht sucht. Sonderbarerweise finde ich durch die Beobachtung der verrückten Familie wieder in die Realität zurück. Nur das Kind sackt Millimeter für Millimeter tiefer in den Kinderwagen. Ich schließe meine Jacke und gehe nach Hause. Die verrückte Familie entfernt sich kichernd.

Ruhig und ahnungslos liegt die Wohnung da. Ich fühle mich nicht armselig, als ich in die Küche gehe. Das Telefon klingelt, ich werde nicht abnehmen. Ich lege meine Jacke ab und schneide mir eine Scheibe Brot ab. Das Brot schmeckt mir sehr gut. Ich nehme die Brille ab und reibe mir mit der Hand die Augen. Im Augenblick, als ich mir die Brille wieder aufsetzen möchte, rutscht sie mir aus der Hand und fällt auf den Steinboden. Am Rand des linken Glases ist ein Stück weggesplittert. Ich setze die Brille auf und betrachte mich im Spiegel. Sofort ist klar, daß ich mir keine neue Brille anschaffen werde und daß die kleine Absplitterung zu einem Zeichen werden wird. Ich gehe zum Telefon und nehme den Hörer doch ab. Am anderen Ende ist Susanne.

Ich habe einen Brief von dir gefunden, ruft sie aus, den du mir vor achtzehn Jahren geschrieben hast.

Vor achtzehn Jahren? frage ich tonlos.

Ja, sagt sie, im August vor achtzehn Jahren hast du mich so angeredet: Liebste Susanne . . .

Aber vor achtzehn Jahren hatten wir doch nichts miteinander, oder?

Nein, sagt Susanne, jedenfalls ist nichts passiert.

Und was steht in dem Brief? Ist er peinlich?

Nein, sagt Susanne, dir ist die Liebe peinlich, mir nicht.

Die Antwort verblüfft mich, ich schweige.

Soll ich dir den Brief vorlesen?

Nein, sage ich, es genügt, wenn ich ihn später mal lese.

Dazu hast du bald Gelegenheit, sagt Susanne, ich möchte dich nämlich einladen zu einem kleinen Abendessen, mit ein paar Kollegen und Freunden zusammen.

Kenn ich die auch?

Den einen oder anderen schon, sagt Susanne, Himmelsbach zum Beispiel.

Ach Gott, sage ich, dieses alte Nebelhemd.

So darfst du ihn dann aber nicht nennen, sagt Susanne

und lacht. Eine frühere Arbeitskollegin wird dasein, die jetzt Akquisiteurin für ein Luxusaltersheim ist, ein gräßlicher Job muß das sein.

Susanne zählt auf, wer noch kommen wird. Ich höre zu und verfalle in eine Art innerer Starre. Ich überlege, ob ich vor achtzehn Jahren mit Susanne zusammen war oder ob ich ihr nur Briefe geschrieben habe. Ich erinnere mich nicht.

Möchtest du lieber Rotwein oder Weißwein? fragt Susanne.

Lieber roten, sage ich.

Susanne sagt mehrfach Datum und Uhrzeit des Abendessens. Ich notiere beides auf den Rand einer Zeitung. Ich bin sicher, daß ich den Brief, den ich ihr vor achtzehn Jahren geschrieben habe, nicht lesen will. Susanne redet jetzt darüber, was sie kochen wird. Ich höre zu und kaue unhörbar auf meiner Scheibe Brot. Der Roggengeschmack mildert die Merkwürdigkeit, daß ich bald mit Himmelsbach an einem Tisch sitzen werde.

7 : Schon eine Weile überlege ich, woran
mich Susannes Wohnung erinnert. Wir
sitzen an einem großen ovalen Tisch,
auf dem eine weiße Damastdecke liegt. Auch die Servietten
sind aus Damast, so fest und glatt, daß ich anfangs Mühe
hatte, mir damit wirklich den Mund abzuwischen. Als
Vorspeise gab es einen Artischockensalat mit Spinat und
Pinienkernen, danach gegrillte Kammuscheln mit Pro-
sciutto. Susanne kocht vorzüglich; ein wenig ungeduldig
wurde ich nur, als sie gar zu lange über Herkunft und
Eigenart der Pinienkerne und Kammuscheln redete. An
der Wand links hängt ein Druck von Miró, an der Wand
rechts ein Druck von Magritte, beide hinter Glas. Auf drei
nichtbenutzten Stühlen, die nebeneinander an der linken
Stirnwand des Zimmers stehen, liegen kleine Seidenkissen,
die wahrscheinlich nur deswegen da sind, damit man gele-
gentlich mit der Hand darüberstreicht. Jetzt hab ich's: Die
Wohnung ähnelt zur Hälfte einem Wäschegeschäft, zur
anderen Hälfte einer Bonbonniere der siebziger Jahre. Hinter den Scheiben des Wohnzimmerschranks stehen und
liegen Püppchen, Porzellantiere, alte Bestecke, Andenken,
eine Perlenkette. Es könnten auch Pralinen, Fotos, feine
Schokoladen, Seidenbänder und Schatullen sein. Vor einer
halben Stunde habe ich das Wohnzimmer Margerita Men-
dozas Spezialitätenrestaurant genannt, worüber Susanne
entzückt war. Weil nicht alle wußten, was es mit dem
Namen Margerita Mendoza auf sich hat, habe ich hinterher die Theater-Episode aus Susannes Leben erzählt.

Durch die Erzählung ist mir die Geschichte peinlich geworden, aber es hat wohl niemand bemerkt. Susanne hat meine Darstellung offenbar gefallen, sie hat mich danach dankbar umarmt. Jetzt gilt sie wenigstens in diesem Zimmer und an diesem Abend und vor diesen Leuten als Künstlerin. Auf einem zierlichen Messingwägelchen fährt Susanne den Nachtisch herein, überbackene Pfirsiche mit Mascarpone-Creme. Susanne beugt sich von hinten über meine Schultern; ihr dünnes, hellgraues Seidenkleid leitet ein weiches Körperzittern an mich weiter. Susanne trägt Abendsandaletten aus plissiertem Glacéleder mit Zierschleifen aus rosafarbenem Satin. Ich könnte über ihre Schuhe einen kleinen Vortrag halten, der alle Gäste verblüffen würde; ich tue es nicht oder vielleicht erst später. Außer Susanne und Himmelsbach kenne ich hier niemanden. Himmelsbach beachtet mich kaum. Er spricht lebhaft mit seiner Tischnachbarin, einer Animateurin, die mit belustigter Stimme zugibt, daß sie inzwischen selbst so einfallslos geworden ist wie die von ihr animierten Touristen. Zum zweiten Mal sagt sie ein wenig zu laut, daß sie ihren Beruf nicht mehr lange ausüben will. Sobald ich Himmelsbach anschaue, ziehen machtlose Erregungen durch mich hindurch. Sein Haar sieht nicht aus, als sei es vor kurzem geschnitten worden, aber ich kann es nicht mit letzter Sicherheit sagen. Seit etwa einer Viertelstunde verursacht mir die dauernde Nähe von Himmelsbach eine leichte Übelkeit. Sie erinnert mich an ein unangenehmes Urlaubserlebnis. Vor etwa fünfzehn Jahren bin ich mit dem Auto, das ich damals noch hatte, die Serpentinenstraßen der Abruzzen hinuntergefahren. Während der ganzen Abfahrt war mir so übel wie jetzt, und bis zur letzten Serpentine habe ich nicht abschätzen können, ob es bei der Übelkeit

Wie langweilig, sagt Frau Dornseif.

Die langweiligen Geliebten sind die tiefsten und die dauerhaftesten, sage ich.

O Gott, macht Frau Dornseif.

Wie war das mit der Liebe, sagt Susanne, sagst du das noch mal?

Man liebt dann, wiederhole ich, wenn man nicht mehr flieht, obwohl man ahnt, daß unmögliche Bedingungen auf einen zukommen.

Forderungen, hast du gesagt.

Was?

... daß dieser andere unmögliche Forderungen stellen wird, so hast du gesagt, sagt Susanne.

Ich hätte nicht gedacht, daß meine Definition der Liebe, die mir selber nicht bemerkenswert erscheint, bei Susanne so gut ankommen würde. Alle außer Himmelsbach schauen mich an. Meine innere Trockenheit nötigt mir ein Schlucken ab.

Können Sie den Satz erläutern, fragt Frau Balkhausen.

Ich atme durch und trinke mein Glas leer.

Man liebt dann, sage ich, wenn man merkt, daß mit dieser Liebe alle früheren Ansichten über die Liebe überflüssig werden. Verstehen Sie?

Nein, sagt Frau Dornseif.

Ich glaube nicht, sage ich, daß es Ihnen recht ist, daß Sie die ungepflegten Männer und die verkrachten Existenzen so sehr verabscheuen. Sie möchten sie gar nicht so heftig verabscheuen, jedenfalls nicht alle und nicht immer. Sie möchten wenigstens einen finden, den Sie nicht verabscheuen, und wenn Sie diesen einen gefunden haben und ihn lieben können, werden Sie auch Ihre Schuld lieben können, mehr noch als –

Was, fragt Frau Dornseif dazwischen, jetzt verstehe ich überhaupt nichts mehr, was hat denn Liebe mit Schuld zu tun?

Weil der eine, den Sie dann lieben, aus der Menge derjenigen hervorgekommen ist, die Sie zuvor abgelehnt haben, und weil Sie über diese ungerechtfertigte Ablehnung Schuld empfinden, sage ich.

Herr Auheimer, ein Anwalt und Bürokollege von Susanne, hebt den Zeigefinger und fragt: Meinen Sie eine justitiable Schuld, oder meinen Sie unser aller Schuld, die Erbsünde?

Mir ist egal, antworte ich, wie Sie diese Schuld nennen, ich rede jedenfalls von der Schuld, die sich unbemerkt ansammelt, indem man schuldlos zu leben meint.

Und wodurch entsteht das Schuldverhältnis genau? fragt Herr Auheimer.

Jeder, der lebt, antworte ich, verurteilt die anderen, die mit ihm leben, oft jahrzehntelang. Eines Tages fällt uns auf, daß wir Richter geworden sind, jeder einzelne. Die Schuld, die durch diesen Einblick frei wird, kommt dann dem einzelnen Schuldigen zugute, den wir endlich lieben können. Jetzt haben wir es geschafft: Wir lieben unsere Schuld.

Susannes Augen leuchten. Sie findet es wunderbar, daß an ihrem Wohnzimmertisch so gesprochen wird. Ich weiß nicht, ob sie merkt, daß ich nur wegen ihr so rede, ich glaube, eher nicht.

Aber die meisten Menschen wissen doch gar nichts von dieser Schuld, sagt Herr Auheimer, sie halten sich für absolut schuldlos.

Das ist ja das Schlimme, sage ich; deswegen wäre es das beste, wenn an den Universitäten endlich Vergleichende Schuldwissenschaften gelehrt würde.

Was? fragt Frau Dornseif.

Vergleichende Schuldwissenschaften, wiederhole ich.

Das habe ich noch nie gehört, sagt Herr Auheimer.

Das können Sie auch noch nie gehört haben, weil es Vergleichende Schuldwissenschaften nicht gibt oder jedenfalls noch nicht, sage ich.

Susanne erhebt sich und geht in die Küche. Sie trägt weitere Schälchen mit überbackenen Pfirsichen und Mascarpone-Creme in das Wohnzimmer.

Aber ich will nicht den ganzen Abend reden! sage ich.

Doch, ruft Susanne, sprich!

Susanne schenkt mir Wein nach und dreht mir im Sitzen den Oberkörper zu.

Verstehen Sie die Vergleichenden Schuldwissenschaften als historische Wissenschaft? fragt Herr Auheimer.

Unter anderem, sage ich; wir alle leben in Ordnungen, die wir nicht erfunden haben, wir können nichts für diese Ordnungen, sie befremden uns. Sie befremden uns deswegen, weil wir merken, daß wir mit der Zeit die Schuld dieser Ordnungen übernehmen. Die faschistische Ordnung bringt faschistische Schuld hervor, die kommunistische Ordnung bringt kommunistische Schuld hervor, die kapitalistische Ordnung bringt kapitalistische Schuld hervor.

Ahh so! ruft Herr Auheimer, jetzt verstehe ich Sie! Sie meinen, Schuld entsteht, wenn Menschen die Systeme wechseln?!

Soweit kommt es bei den meisten ja gar nicht, sage ich mit sinnloser Genauigkeit, es ist wie mit der Liebe! Ich meine die gewöhnliche Schuld der Systeme, die langsam in uns einwandert, indem wir schuldlos in diesen Ordnungen zu leben meinen. *Alle* politischen Ordnungen wollen dasselbe, nämlich die Abschaffung des Leids. Ebendeswegen sind sie gar keine politischen, sondern phantastische Bewegungen, verstehen Sie? Weil man die Abschaffung des Leids nicht wirklich wollen kann!

Und wo ist jetzt wieder die Schuld? fragt Herr Auheimer.

Die Schuld entsteht, sage ich, weil wir das im Prinzip alle wissen, aber trotzdem auf Leute hereinfallen, die uns ein Leben ohne Leid vorgaukeln.

Ach so! ruft Frau Dornseif! So meinen Sie das!

Plötzlich reden alle am Tisch davon, was sie einmal geglaubt haben und wie sie deswegen schuldig geworden sind. Himmelsbach redet davon, daß er an Mütter, Väter und Lehrer geglaubt hat, Frau Balkhausen redet von ihrem verflossenen Glauben an Universitäten, Krankenhäuser und Gerichte, Frau Dornseif von ihrem Glauben an die Jugend und die Männer. Ich bin gespannt, von welcher Schuld Susanne sprechen wird, aber sie spricht nicht. Ich habe das Gefühl, Susanne würde ihre Gäste am liebsten nach Hause schicken, weil sie die Bewegtheit des Abends nicht länger mit ihnen teilen will. Dann holt sie zwei neue Flaschen Wein aus der Küche, ich öffne sie und schenke den Gästen nach. Frau Balkhausen und Frau Dornseif haben den Eindruck (wenn ich mich nicht täusche), daß sie an einer Enthüllung teilnehmen. Endlich wissen sie, daß es im Leben von Susanne einen Mann im Hintergrund gibt. Susanne und ich spielen das Spiel mit, obwohl wir beide nicht wissen, ob es ein Spiel ist und/oder ob wir schon morgen über unser altes Theater seufzen oder kichern werden. Frau Balkhausen fragt mich schüchtern, welchen Beruf ich habe. Die Frage verstimmt mich leicht, weil sie mich daran erinnert, daß mein Leben auch an einem Abend wie heute nicht genehmigt ist. Aber ich drücke die Verstimmung weg und antworte, ein wenig betrunken und prustend, daß ich ein Institut für Gedächtnis- und Erlebniskunst leite.

Oh! macht Frau Balkhausen, das ist ja interessant!

Ich schenke auch Frau Balkhausens Glas wieder voll, ich bereue meinen Scherz, aber schon fragt Frau Balkhausen, mit welchen Menschen ich es im Institut zu tun habe.

Zu uns kommen Menschen, antworte ich unsicher und gleichzeitig routiniert, die das Gefühl haben, daß aus ihrem Leben nichts als ein langgezogener Regentag geworden ist und aus ihrem Körper nichts als der Regenschirm für diesen Tag.

Sie helfen diesen Personen, ja? fragt Frau Balkhausen.

Äh, ja, ich hoffe.

Und wie? Ich meine, was machen Sie?

Wir versuchen, sage ich, diesen Leuten zu Erlebnissen zu verhelfen, die wieder etwas mit ihnen selber zu tun haben, jenseits von Fernsehen, Urlaub, Autobahn und Supermarkt, verstehen Sie?

Frau Balkhausen nickt ernst und schaut auf die gelbe Stoffrose neben ihrem Weinglas. Mir wird die Unterhaltung mulmig. Es entgeht mir nicht, daß Frau Balkhausen an der Art meiner Erlebnishilfe interessiert scheint und gleich weitere Fragen stellen wird. Da bin ich schon aufgestanden und mache ein paar ziellose Schritte im Zimmer. Zwischendurch verabschiede ich mich von Herrn Auheimer, der sich für meine ›hellsichtigen Bemerkungen‹ (so sagt er wörtlich) bedankt und dann geht. In ein paar Minuten ist es dreiundzwanzig Uhr. Ich drücke mich in der Nähe der Küchentür herum, weil ich mit Susanne verabredet habe, daß sie mir am Ende des Abends den Brief geben wird, den ich ihr vor achtzehn Jahren geschrieben habe. Aber es kommt anders. Kurz vor der Küchentür tritt Himmelsbach seitlich an mich heran und fragt, ob er zwei Minuten lang etwas Persönliches mit mir besprechen dürfe. Ich zucke zusammen, weil ich nicht weiß, was es zwischen Himmelsbach und mir Persönliches geben könnte, und gleichzeitig fürchte, ein Typ wie Himmelsbach könnte dieses Anonym-Persönliche zwischen uns tatsächlich zur Sprache bringen wollen. Ich kann ihm nicht ausweichen. Er drängt mich zur Garderobe hin und sagt dann angemessen leise: Ich möchte dich bitten, mir einen Gefallen zu tun.

Ich blicke Himmelsbach ratlos und wahrscheinlich ablehnend an, aber Himmelsbach läßt sich nicht abschrecken, im Gegenteil, wahrscheinlich sind meine Blicke für ihn sogar eine Ermunterung.

Du hast doch mal für den Generalanzeiger geschrieben, beginnt er.

Ach Gott, seufze ich, das ist eine Ewigkeit her!

Ich weiß, sagt Himmelsbach.

Damals war ich noch Student!

Ja, sagt Himmelsbach, aber du kennst die Leute, die dort etwas zu sagen haben.

Das glaube ich nicht.

Doch, beharrt Himmelsbach, du kennst zum Beispiel Messerschmidt.

Der ist immer noch da! rufe ich aus.

Wieso? fragt Himmelsbach. Kannst du ihn nicht leiden?

Was heißt nicht leiden, antworte ich, ich kann nicht viel mit ihm anfangen, sein Bedürfnis nach Einordnung, nach Flachheit mag ich nicht.

Aber du kennst ihn?

Nur von damals, sage ich.

Du hast überhaupt nichts mehr mit dem Generalanzeiger zu tun? fragt Himmelsbach.

Plötzlich ahne ich, was er will.

Weißt du, sage ich, um Provinzzeitungen herum sammeln sich immer viele Halb-, Viertel- und sogar Achteltalente, eine unangenehme Mischung. Je kleiner das Talent, desto wilder zappelt der Getroffene damit herum. Ich will dort nicht gesehen werden, wenn du verstehst, was ich meine.

Ich kann es mir nicht leisten, so streng zu sein wie du, sagt Himmelsbach, jedenfalls nicht jeden Tag.

Er lacht kurz und spöttisch, wodurch er mir momentweise sympathisch wird wie in alten Zeiten. Wahrscheinlich deswegen trage ich eine halbe Minute dazu bei, ihm das Leben zu erleichtern.

Du willst für Messerschmidt fotografieren, und ich soll ihn fragen, ob er dich braucht?

Genau, sagt Himmelsbach.

Und warum fragst du nicht selbst?

Ich bin zu alt für Niederlagen, sagt Himmelsbach.

Und wenn es nicht klappt?

Dann erfahre ich es nicht direkt, sondern von dir. Mit diesem Polster dazwischen könnte ich die Niederlage ertragen.

Die Erklärung gefällt mir, ich schweige zustimmend, Himmelsbach rührt mich. Er ist offenkundig (ähnlich wie Susanne) von meiner Wichtigkeit/Hintergründigkeit/Bedeutsamkeit überzeugt, mehr noch, er schreibt mir Einfluß in der Stadt zu.

Gut, sage ich, ich werde Messerschmidt anrufen.

Mhm, macht Himmelsbach, das werde ich dir nie vergessen.

Warten wir's ab.

Und jetzt? Was machen wir jetzt? ruft Susanne und kommt auf uns zu.

Ich gehe noch ein bißchen ins Orlando, sagt Himmelsbach.

Ja, ins Orlando!

Nach ein paar Seufzern setzt sich die Meinung durch, daß ein Besuch der Diskothek Orlando dem Abend die Krone aufsetzt. Ich flüstere Susanne ins Ohr, daß ich dem Orlando nichts abgewinnen kann und lieber nach Hause gehe.

Du bist ein Spielverderber, sagt Susanne. Geh doch mit, sagt sie und küßt mich aufs Ohr.

Lieber nicht! Ich wäre ein Spielverderber, wenn ich mitkäme.

Frau Balkhausen sucht ihre Handtasche, Susanne lacht.

Die Nacht ist lang, sagt Frau Dornseif, die Musik im Orlando wird uns ins Wochenende schleudern wie ein, wie ein, Herrgott, sagt sie, mir fällt nichts ein.

Himmelsbach überprüft den Sitz seines Geldbeutels in seiner Hosentasche und gibt mir die Hand. Ich achte darauf, daß wir nicht zusammen die Treppen hinuntergehen. Ich merke, Frau Balkhausen möchte weiter mit mir reden, auch in einer Disko, wenn es sein muß. Ich biete Susanne an, ihr beim Abspülen zu helfen. Frau Balkhausen durchschaut, daß sie abgewimmelt wurde, und verschwindet. Zwei Minuten später verabschiede auch ich mich. Trotz seines Vorsprungs gehe ich auf der Straße nur etwa fünfundzwanzig Meter hinter Himmelsbach. Ich sehe, daß er sich die linke Hosentasche mit Erdnüssen abgefüllt hat, die er jetzt einzeln aus der Hosentasche holt und während des Gehens einzeln zerkaut.

Vier Tage später, an einem Samstagmorgen, stehe ich zum ersten Mal als Händler auf dem Flohmarkt. Vor mir habe ich den Tapeziertisch aufgebaut, den Lisa im Keller zurückgelassen hat. Mit ein paar Reißnägeln habe ich dünnes weißes Papier auf der Platte befestigt. Darauf stehen nebeneinander die Schuhe, die ich zuletzt von Habedank bekommen habe. Jedes Paar biete ich für achtzig Mark an, ein lächerlicher Preis. Kaum einer der pausenlos vorüberziehenden Flohmarkt-Besucher ist an den Schuhen interessiert. Die Leute schauen mich an, nicht die Schuhe. Seit rund zwei Stunden stehe ich hier, und bis jetzt hat niemand gefragt, was die Schuhe kosten. Der Mann links von mir handelt mit Militärartikeln, auch er verkauft nichts. Er hat einen Portable auf seinem Verkaufstisch stehen und schaut sich einen Film über Thüringen an. Der Mann rechts von mir trägt eine Micky-Maus-Krawatte und handelt mit billigem Blechspielzeug. Das heißt, er handelt nicht, genauso wenig wie der Mann mit den Militärartikeln oder ich. Wir stehen herum, wir schauen mal in den Himmel, mal auf den Boden und mal in den Fernsehapparat. Immer wieder frage ich mich, welches Gefühl in mir stärker ist, das der Vergeblichkeit oder das der Sinnlosigkeit. Ich kann die Frage nicht beantworten. Deswegen gehe ich nach einer Weile zur nächsten Frage über, was zuerst in mich eindringen wird, die Verrücktheit oder der Tod. Schon das Auftauchen des Wortes Tod schüchtert mich ein, ich lasse schnell ab von der Frage. Aber worüber soll ich sonst nachdenken? Ich ahne, daß mein Versuch als Luxusschuhhändler vielleicht meine letzte Chance ist, ein sogenanntes normales Leben zu finden. Ich betrachte die an mir vorbeigehenden Leute und rede mir ein, daß ich so bin wie sie. Ich zähle auf, was ich mit ihnen gemeinsam habe. Eine Weile geht es ganz gut. Aber dann merke ich, ich kann aufzählen, was ich will, in der Summe passen die Einzelheiten nicht zusammen, und sie können auch durch den Fortgang des Lebens nicht zusammenpassend gemacht werden; deswegen kann die Summe auch an diesem Spätmorgen von mir nicht genehmigt werden. Ich weiß ja nicht einmal, wie ich die merkwürdige Tatsache, daß ich mich heute als Floh-markt-Händler versuche, in mein übriges Leben einordnen soll. Ich denke an den Brief, den ich vor achtzehn Jahren an Susanne geschrieben und den ich vor ein paar Tagen wiedergelesen habe. Es handelt sich um das peinliche Do-kument einer Jugendschwärmerei, die vielversprechend angefangen hatte und dann plötzlich verpuffte. Noch un-angenehmer ist, daß ich die Tändelei vergessen habe, was mir Susanne zum Glück nicht übelnimmt. Ich bin fast si-cher, daß eine Annäherung diesmal nicht ausbleiben wird. Unklar ist mir nur, ob ich Susanne, wenn sie mich besucht, in die Bedeutung des Blätterzimmers einweihen soll oder nicht. Ich werde mich gewiß nicht anstrengen müssen, ihr die Idee des Blätterzimmers verstehbar zu machen. Ein bißchen dumm ist nur, daß mein eigenes Interesse an den Blättern in den letzten Tagen beträchtlich nachgelassen hat. Sie sind in der trockenen Luft der Wohnung perga-menten und zerbrechlich geworden. Erst gestern hatte ich ein paar von ihnen in der Hand; ihre Ränder bröckelten schon ab. Ich unterließ es, mit quergestellten Füßen durch das Zimmer zu gehen und sich die Blätter vor den Schuhen aufstauen zu lassen. Ich werde auch keine weiteren Blätter in die Wohnung schaffen. Eher werde ich die Anfänge des Blätterzimmers wieder auflösen. Ich schaue die kleine Bö-schung hinab, die sich im Rücken der Stände hinabzieht. Die Böschung ist eine Art Müllplatz. Die Händler werfen hier alles hinab, was sie nicht mehr brauchen, Plastikhül-len, Planen, Blecheimer, Bierdosen, Kartons, Bekleidung, Bauschutt, Geröll. Das Wort Geröll gefällt mir. Es drückt die Merkwürdigkeit des Lebens genausogut aus wie das Wort Gestrüpp. Vermutlich sogar ein bißchen besser, weil die Verstaubtheit allen Lebens in Geröll besser anklingt als in Gestrüpp. Ich weiß nicht mehr, womit ich mich zerstreuen soll. Der Militärhändler links von mir schaut sich in seinem Portable die Nachrichten an. Gerade wird ein Politiker interviewt. Wie immer stehen ein paar Wichtigtuer um ihn herum, die mit ernsten Gesichtern in die Kameras blicken. Einer von diesen Hintergrundmännern könnte ich vielleicht noch werden. Wann immer Politiker im Fernsehen erscheinen, reise ich an und betätige mich als Kulisse. Ich habe ein einwandfrei ernstes Gesicht, das sich zur Unterstreichung jedes Anliegens hervorragend eignet. Ich werde viel zu tun haben, ich werde viel Geld verdienen. Backgroundmann des Fernsehens könnte mein Traumberuf werden. Endlich werde ich schweigen dürfen und dafür auch noch bezahlt werden. Obwohl ich diese Ideen nur zu meiner persönlichen Unterhaltung hervorbringe, überlege ich doch, ob ich nicht das Fernsehen anrufen und meine Dienste anbieten soll. Ein heruntergefallener Strickhandschuh hilft mir, meinen kleinen Wahn zu vertreiben. Der Strickhandschuh lag zuerst eine ganze Weile auf einem riesigen Wühltisch schräg gegenüber. Dann streifte jemand den Rand des Tisches und schob den Strickhandschuh in den Abgrund. Jetzt liegt er im Staub und wird in meinem Innern zu einem Zeichen der Beständigkeit, das alle Zeiten und Flohmärkte überdauern wird. Es geht auf Mittag zu. Ich verkaufe nichts, ich komme mir tot vor. Es ist den vorüberströmenden Leuten anzusehen, daß sie vor allem ein Gedanke beschäftigt: Was ist im Leben dieses Mannes geschehen, daß er jetzt Schuhe verkaufen will? Ich betrachte meine Jacke, die ich über ein Eisengeländer gelegt habe, ohne jedes Ergebnis. Es wäre besser, ich würde nach Hause gehen, aber dann müßte ich mich mit dem Gedanken des Versagens herumschlagen. Endlich gelingt es mir, die Jugendlichen interessant zu finden. Gleich fünfmal müssen sie ausdrücken, daß sie jung sind: durch die Zappeligkeit ihrer Körper (1), durch die Gegenstände (Cola, Popcorn, Comics, CDs) in ihren Händen (2), durch ihre Bekleidung (3), durch ihre Musik, dargestellt durch Stöpsel in den Ohren und Drähten um den Hals (4), und durch ihren Slang (5). Von dieser Hyperwirklichkeit werde ich bei nächster Gelegenheit Susanne erzählen. Sie wird lachen müssen, und dann werden wir beide froh sein, daß wir wenigstens nicht mehr jung sind. Ein ruhiger Mann zwischen vierzig und fünfundvierzig tritt an meinen Tapeziertisch heran und schaut auf die Schuhe. Er nimmt das Paar ganz links, er fährt mit den Händen in die Schuhhöhlen hinein und spannt die Sohlen, indem er Spitze und Absatz zusammenbiegt. Ich überlege, ob ich ein paar erläuternde Sätze sagen soll, aber es ist offenkundig, der Mann versteht etwas von Schuhen und wird von Erklärungen nur belästigt. Er prüft auf die gleiche Weise noch zwei weitere Paare. Dann knickt er das linke Bein hoch und vergleicht die Größe der Schuhe mit der Größe seiner eigenen Schuhe. Meine Schuhe passen. Kurz danach holt er seine Brieftasche heraus und sagt, daß er die drei von ihm geprüften Paar Schuhe mitnehmen möchte. Ich nenne den Preis und verstaue die Schuhe in zwei Plastiktüten. Sekunden später legt mir der Mann genau zweihundertvierzig Mark, passend in vier Scheinen, in die Hand. Dann nickt er mir kurz zu und zieht weiter. Es ist klar, daß ich nach diesem frappanten Verkaufserfolg meinen Stand in Kürze zusammenklappen und nach Hause gehen werde. Ich will nur noch die inneren Erwärmungen mitmachen, die die Freude jetzt in mir entfacht. Ich stecke das Geld weg und lehne mich gegen das Eisengeländer hinter mir. Ich schaue auf die Abfälle und frage mich, wie der Bauschutt und das Geröll hierhergekommen sind. Sonderbar ist, daß ich schon anfange, die zufällige Umgebung als Bleibe anzunehmen. Hoffentlich bedeutet mein innerer Eifer nicht, daß ich mir schon eine Karriere als Flohmarkt-Händler anphantasiere. Die Art und Weise, wie ich mich schon nach kurzer Zeit in der Nähe jedes Mörtelhaufens wohl fühle, ist vermutlich aus der Nachkriegszeit übriggeblieben. Damals war ich ein Kind, das zwischen den Trümmern des Krieges umherging und sich in jeder Ruine fragte, ob man hierbleiben könne. Der Krieg war erst seit kurzem zu Ende, aber durch den Anblick der Zerstörungen war ich sicher, daß ein neuer Krieg jederzeit losbrechen könnte und die Menschen zwingen würde, sich in jedem Staubloch einzurichten. Nein, ich werde doch nicht gleich nach Hause gehen. Vorher werde ich das Café Rosalia aufsuchen, in dem ich schon lange nicht mehr gewesen bin. Dort werde ich ein den Geschäften des Tages angemessenes Mittagsmahl zu mir nehmen und mich weiter meiner Freude hingeben. Mit vier oder fünf Handgriffen ist der Tapeziertisch zusammengelegt, die nicht verkauften Schuhe verschwinden in zwei Plastiktüten. Das Café Rosalia habe ich früher mit Lisa oft aufgesucht, hoffentlich ist es noch da. Es ist gar kein richtiges Café, sondern nur eine größere, inzwischen total altmodisch gewordene Bäckerei mit zwei kleinen Gasträumen, die man durch einen schmalen Korridor von der Bäckerei aus erreicht. Unterwegs komme ich an einem Kurzwarengeschäft vorbei, in dessen Schaufenster ein wunderbares Sonderangebot ausgestellt ist. In einer Schachtel liegen zahllose schwarze und weiße Nähgarnrol-

Mußt du dein Haar auf den Tisch legen, sagt die zuvor von dem Jungen kritisierte Frau. Ich begreife, mein Glück ist, daß mich niemand beanstandet. Der Junge krabbelt unter den Tisch. Er legt sich auf den Rücken und schaut sich den Tisch von unten an. Mußt du mit deinem neuen Hemd den Boden aufwischen, ruft die andere Frau unter den Tisch. Es werden schon lange keine Beweise mehr gebraucht, daß man es auf der Welt nicht aushalten kann, aber hier wird gerade wieder einer geliefert. Der Lachs wenigstens ist ausgezeichnet, der Spinat ebenfalls. Ich versuche, dem Jungen unter dem Tisch zuzuzwinkern, aber es gelingt nicht. Die Frauen bemerken meine Solidarität mit dem Jungen und halten sie für problematisch beziehungsweise unangebracht. Sie rufen den Jungen hoch. Er sitzt jetzt ruhig zwischen den beiden Frauen. Die schauen mich inzwischen an wie einen frisch entlarvten und gerade noch verhinderten Kinderverderber. Endlich will auch ich nichts mehr und betrachte nur noch die fortlaufend zurechtgewiesene Welt.

8 : Am Telefon war Messerschmidt freundlich, ja herzlich. Er tat, als hätte er seit
: Jahren auf einen Anruf von mir gewar-
tet. Außerdem war er so redselig, daß ich kaum zu Wort
kam, wogegen ich freilich nichts hatte. Er erinnerte an unsere Studentenjahre, und ich war erstaunt über die Fülle
der Details, die er präzise im Gedächtnis aufbewahrt hatte.
Weil ich nicht viel reden mußte, konnte ich leicht verschleiern, daß mir die Studentenzeit viel unbehaglicher war als
ihm. Erst nach ungefähr zehn Minuten gelang es mir, mein
Anliegen vorzubringen. Zuvor hatte er mich zweimal auf-
gefordert, doch einfach bei ihm in der Redaktion vorbei-
zukommen. Ich hatte kein Bedürfnis, den Generalanzeiger
aufzusuchen. Es wäre mir lieber gewesen, ich hätte Messerschmidt in einem Café treffen können, aber gegen seine
sprudelnde Bestimmtheit kam ich nicht an. Am Schluß des
Telefonats gelang mir der Hinweis, daß ich nicht wegen
mir selber anrief.

So? rief er ins Telefon; worum gehts denn dann?

Es geht, sagte ich, es geht um den Fotografen Himmelsbach.

Ach Gott, sagte Messerschmidt.

Was ist mit ihm?

Himmelsbach ist vermutlich eine tragische Figur, nein,
er ist keine tragische Figur, er ist unfähig, sagte Messerschmidt.

Aber er hat doch schon einmal für den Generalanzeiger
gearbeitet?

Zeit, hielt sich das Megaphon an den Mund und redete. Mit tiefer Trauer gibt euch das Zentralkomitee bekannt, daß Genosse Mao Tse-tung heute nacht im Alter von zweiundachtzig Jahren verstorben ist. Wunderbar selbstverständlich tat Messerschmidt so, als seien alle seine Zuhörer schon immer Chinesen gewesen oder würden es jetzt ganz schnell werden. An seinen unglaublichsten Satz erinnere ich mich bis heute: Wir werden unsere Trauer über den Tod des Großen Vorsitzenden in Energie verwandeln. Ich hatte Messerschmidt damals ernsthaft bitten wollen, er möge mir die Technik dieser Umwandlung persönlich beibringen, aber dann wurden solche Ankündigungen der Grund, warum wir uns mehr und mehr voneinander entfernten, bis Messerschmidt viele Jahre später in der Redaktion des Generalanzeigers wiederauftauchte und ich auf seine Bitte hin sein freier Mitarbeiter wurde. Wenn Messerschmidt wüßte, daß ich mich mindestens genausogut erinnere wie er, hätte er mich vielleicht nicht eingeladen. Natürlich werde ich ihn heute nur an das erinnern, woran er voraussichtlich erinnert werden möchte. Das kleine Verlagsgebäude des Generalanzeigers liegt hinter den Lagerhäusern zweier großer Kaufhäuser. Katzen schleichen zwischen leeren Kartons herum und suchen nach Nahrung. Ich schaue ihnen eine Weile zu, und sie gefallen mir gut. Noch kurz vor dem Eingang strauchle ich und will wieder nach Hause. In diesen Augenblicken verläßt ein gutgekleideter Mann das Verlagsgebäude. Der Mann hat ein Exemplar des Generalanzeigers zu einem Stab zusammengerollt und schlägt sich damit während des Gehens auf den rechten Oberschenkel. Von dieser Verhaltensweise geht ein Druck auf mich aus. Es ist merkwürdig, aber von diesem Augenblick an weiß ich, daß ich nicht mehr zurückkann. Momentweise blitzt die Möglichkeit auf, daß meine inneren Vorbehalte verbraucht und veraltet sein könnten. Sofort möchte ich wissen, ob es verdorbene Empfindlichkeit gibt oder nicht; wenn ja, ob verdorbene Empfindlichkeit selber schon ein Produkt verdorbener Empfindlichkeit ist und aufgrund welcher Prozesse Empfindlichkeit sich in verdorbene Empfindlichkeit verwandeln kann. Vielleicht weiß es Messerschmidt, denke ich und erfreue mich still meines Hohns. Sekunden später betrete ich den Hauptflur des Verlagshauses. Ein Teil meiner Unruhe legt sich, als ich sehe, daß sich die Anzeigenabteilung immer noch links vom Hauptflur befindet. Die Redaktion ist nach wie vor im ersten Stockwerk untergebracht. Auf der Treppe begegnet mir Feuilletonredakteur Schmalkalde, der mich nicht wiedererkennt. Vor neunzehn Jahren sammelte er einmal alles, was anonyme Prospektverteiler ein Jahr lang in seinen Briefkasten steckten. Aus dem Material wollte er eine ›kommunikationskritische Fibel‹ machen, die jedoch nie gedruckt wurde. Jetzt geht Schmalkalde wie ein nie erschienenes Buch an mir vorbei und schaut auf den Boden. Messerschmidt zerschneidet mit einem kleinen Taschenmesser einen Pfirsich, als ich die Tür zu seiner Stube öffne. Er legt das Taschenmesser weg und kommt auf mich zu. Er ist füllig geworden und hat ein paar frische rote Flecken im Gesicht, als hätte er sich gerade geekelt.

Oh! Du trägst gelbe Schuhe! ruft er aus. Weißt du, wer immer gelbe Schuhe getragen hat? Hitler und Trotzki, Diktatoren tragen gelbe Schuhe, mein Lieber!

Ich gehe nicht auf die Bemerkung ein und setze mich. Messerschmidt geht um mich herum und setzt die Kaffeemaschine in Gang.

Wie gehts? Was machst du? fragen wir uns gegenseitig.

Ich weiche aus und sage nur, daß ich mich so durchschlage.

Soso, macht Messerschmidt.

Und du, bist du zufrieden?

Mir geht es sehr gut, sagt Messerschmidt. Ich kann kaum glauben, daß es mir so gut geht, so unwahrscheinlich kommt mir mein Leben vor.

Die Kaffeemaschine röchelt, schwarzer Kaffee tröpfelt in die gläserne Kanne. Messerschmidt spült in einem winzigen Waschbecken zwei Tassen und trocknet sie ab.

Du weißt doch, sagt er, welche ungeheuren Lebensverhinderer meine Eltern waren, das habe ich dir doch erzählt?

Hat dein Vater nicht deine Mutter gezwungen, seine alten Unterhosen zuerst eine Weile als Staublappen und danach als Schuhputzlumpen zu verwenden?

Mann! Hast du ein Gedächtnis! Genauso wars! ruft Messerschmidt. Meine ganze Jugend lang hatte ich den Eindruck, mich retten zu müssen, egal wo und egal wie. Und erst in diesen Jahren, stell dir das vor, ist dieses Gefühl endlich von mir gewichen. Ich bin ein bißchen verwirrt darüber, daß mir die Rettung geglückt ist. Ich lebe ganz und gar zurückgezogen. Weil ich mich gerettet habe, mag ich keinen Lärm. Und weil ich mich vor Leuten fürchte, die dauernd den Mund zu voll nehmen, mag ich keine Kultur. Ich brauche Ruhe, und diese Ruhe habe ich hier gefunden, beim Generalanzeiger.

Messerschmidt schenkt Kaffee ein und lacht leise. Sein alter Bekenntniszwang ist wieder da, er redet, wie er immer geredet hat.

Und du! ruft er aus.

Ja, und ich, sage ich ein bißchen blöde.

Nie werde ich vergessen, sagt Messerschmidt, wie du vor

ungefähr achtzehn Jahren den Film Casablanca analysiert hast, erinnerst du dich?

Ich schüttle den Kopf.

Der Film ist deswegen so beeindruckend, hast du gesagt, sagt Messerschmidt, weil der Held eine Menge schwerer Entscheidungen trifft, die weitreichende Folgen haben. Er verläßt Menschen und Länder, er wechselt Identitäten, Frauen und politische Überzeugungen. Die Leute im Kino treffen aber immer nur kleine Entscheidungen, die folgenlos bleiben. Sie fragen sich höchstens, ob sie einen neuen Fernseher oder mal einen neuen Mantel brauchen, mehr ist bei denen nicht los. Mit anderen Worten, sagt Messerschmidt, im Leben der Leute, die im Kino sitzen, ist immer schon alles vorentschieden.

Habe ich das gesagt? frage ich.

Hast du damals gesagt, sagt Messerschmidt, ich weiß sogar noch wo, in der Pizzeria am Adenauer-Platz, die es heute nicht mehr gibt, erinnerst du dich?

Ich schaue Messerschmidt ins Gesicht und erinnere mich nicht.

Die Lüge von Casablanca besteht darin, hast du gesagt, sagt Messerschmidt, daß er die Sphäre von wirklichen Lebensentscheidungen und die Sphäre der Nullentscheidungen der Zuschauer so sehr miteinander vermischt, daß für die Leute im Kino die Täuschung entsteht, auch sie würden inmitten bedeutsamer Zuspitzungen leben.

Habe ich das gesagt?

Druckreif hast du das gesagt, sagt Messerschmidt, und du hast hinzugefügt, genaugenommen ist nicht der Film verlogen, sondern nur der Gebrauch, den die Leute von ihm machen, aber genau deswegen ist auch der Film verlogen, weil er den Zuschauern eine solche Lüge gestattet.

Für damalige Verhältnisse klingt das gut, sage ich.

Heute würdest du nicht mehr so urteilen? fragt Messerschmidt.

Doch, sage ich, ich würde nur hinzufügen, daß der Film auch dem Interpreten ein paar Täuschungen erlaubt.

Wir lachen.

Siehst du! ruft Messerschmidt aus, willst du noch Kaffee?

Nein, danke.

Ich halte die Hand über meine leere Tasse. Die triumphierende Art, wie Messerschmidt mich erinnert, macht mich verlegen. Dabei ahne ich, daß noch viel stärkere Verlegenheiten auf mich zukommen. Messerschmidt holt den weggeschobenen Pfirsich wieder zu sich heran und zerschneidet ihn in kleine Stücke. Aus seiner Schublade holt er sich eine Kuchengabel und spießt damit die Pfirsichstücke auf, ehe er sie sich in den Mund schiebt. Ich fürchte schon, daß er mir ebenfalls eine Kuchengabel gibt und mich zum Mitessen auffordert.

Willst du nicht wieder für mich arbeiten? fragt Messerschmidt; es hat doch damals ganz gut geklappt mit uns beiden?! Ich weiß ja nicht, was du heute machst, aber wenn du Lust hast, wie gesagt, sagt Messerschmidt.

Ich weiß gar nicht, ob ich das heute noch kann, sage ich, und ich sage diesen Satz nur, weil ich Messerschmidts Angebot nicht sofort ablehnen will.

Ha! macht Messerschmidt, ist diese Bescheidenheit gespielt oder echt?

Es ruft meinen Dünkel hervor, daß sich Messerschmidt über meine Bescheidenheit Gedanken macht. Immerhin weiß er nicht, daß ich mich nur dann wohl fühle, wenn ich in jeder Lebenssituation etwas verbergen kann. Dahinter

dann aber abwies und dabei den Satz sagte: Ich bin doch viel zu knochig für dich. Durch eine knappe Bewegung (sie stellt ihr Gesicht schräg und zeigt mir die abweisende Glätte ihrer linken Wange) teilt sie mir mit, daß sie nicht angehalten und nicht angesprochen werden möchte. Ich habe die Bitte verstanden und komme ihr nach. Ich gehe mit einem Kopfnicken an Anuschka vorbei und wiederhole dabei stumm ihren Satz von damals: Ich bin doch viel zu knochig für dich. Wie merkwürdig es ist, daß ein einzelner Satz das letzte sein soll, was ich von Anuschka zurückbehalte. Über diese Merkwürdigkeit würde ich jetzt gerne mit Anuschka sprechen, obwohl Anuschka ihre Bemerkung von damals gewiß vergessen beziehungsweise niemals aufbewahrt hat und ich außerdem längst weiß, daß ich die Merkwürdigkeit des Lebens nur ausdrücken kann, indem ich meine Jacke in ein Gestrüpp oder ein Geröll werfe. Der Mann mit dem Schaufelgang holt ein Bonbon aus seiner Hosentasche, entfernt das Papierchen und steckt sich das Bonbon in den Mund. Das Einwickelpapierchen segelt auf die Straße und bringt jetzt, als ich an ihm vorübergehe, ein schönes sanftes Geräusch auf dem Beton hervor. Ich möchte stehenbleiben und dem Geraschel des Bonbonpapierchens noch ein paar Sekunden zuhören. In den Augenblicken, als die Merkwürdigkeit des letzten Satzes von Anuschka im Geraschel des Bonbonpapierchens aufgeht, möchte ich die Gesamtmerkwürdigkeit allen Lebens das Geraschel nennen. Am liebsten würde ich mich niederbeugen zu dem Papierchen, das vom Wind mal hierhin und mal dorthin getrieben wird. Aber ich möchte auch dem Mann mit dem Schaufelgang noch eine Weile hinterhergehen, inzwischen fast schon mit Dankbarkeit, weil ich ihm das neue Wort für die Merkwürdigkeit verdanke. Versuchsweise stelle ich mir vor, ich nehme das Angebot von Messerschmidt an. Auf einen Schlag werde ich mit einer Großgruppe von örtlichen Wichtignehmern umgeben sein, Tag für Tag. Prompt fliegt eine kleine Schwermut heran, die ich jetzt über die Brücke trage. Ein ebenso kleiner Schmerz kaspert in mir herum und sagt: Du mußt deinen Vorteil suchen und das Angebot annehmen. Mit dem Schmerz werde ich fertig, aber gegen die Schwermut muß ich etwas tun. Sie tänzelt vor mir her und will mit mir anbändeln. Ich gebe ihr den Namen Gertrud, damit ich sie wirkungsvoller verhöhnen kann. Gertrud Schwermut, hau ab. Prompt stellt sie sich vor: Gestatten, Gertrud Schwermut, darf ich Sie ein bißchen herunterziehen? Hau ab, wiederhole ich. Sie verschwindet nicht, im Gegenteil, sie faßt mich an, ich spüre ihre schwarze Wärme. Vermutlich denkt sie, sie hätte mich im Griff. Sie drängt mich zum Brückengeländer hin, ich sehe auf das dunkle Wasser hinunter. Wie wärs mit einer Trennung vom Leben, fragt sie, wegen erwiesener Geringfügigkeit? Ich kenne diese Fragen, sie machen mich stumm. Gertrud redet auf mich ein wie ein schwer erziehbares Kind. Und doch ist sie ein bißchen verärgert, weil ich wieder nicht alles tue, was sie von mir verlangt. Eine halbe Minute kämpfe ich mit Gertrud Schwermut auf der Brücke, dann merke ich, es sind ihre Kräfte, die nachlassen, nicht meine. Den Mann mit dem Schaufelgang habe ich während des Fights mit Gertrud leider aus den Augen verloren. Ein Lieferwagen einer Glaserei fährt langsam vorüber. Auf einem Gestell auf der Ladefläche sind zwei hohe Schaufensterscheiben eingespannt. Ich wünsche mir, statt meiner sollen die beiden Schaufensterscheiben zerbersten und dann auf die Straße fallen, sofort. Aber dann fühle ich, derartig heftige Wün-

Dann rufen Sie mich doch einmal an, sage ich, vielleicht am Freitag nachmittag?

Gerne! Danke!

Frau Balkhausen nickt mehrmals, ich sage ihr meine Telefonnummer, die sie sich auf einem Zündholzbriefchen notiert.

Vielen Dank, sagt sie, vielen Dank, und zieht weiter.

Ich schaue ihr nach, sie dreht sich nicht um. Sie weicht einem Türken aus, der zusammen mit seiner verhüllten Ehefrau Plastikkleiderbügel aus einem großen Karton herausholt. Wenig später gehen die beiden mit mehreren, gegen ihre Oberkörper gedrückten Kleiderbügel an mir vorbei. Ich schaue das türkische Paar mit einem Anflug von Dankbarkeit an. Ihr Anblick verstärkt in mir das Gefühl, daß ich mich jetzt wieder in einem Kreis von Wirklichkeit bewege, der weit unterhalb meiner eigenen Kompliziertheit liegt. Wahrscheinlich deswegen habe ich auch Frau Balkhausen schon vergessen. Fünf Minuten später bin ich zu Hause. Immer öfter, wenn ich die Tür der Wohnung aufschließe, fällt mir neuerdings meine Mutter ein, wie sie damals, als ich Kind war, nach Hause kam und ich ihr aus der Tiefe der Wohnung entgegensprang. Und wie sie dann aufseufzte, ich solle sie doch erst einmal heimkommen lassen. Und wie ich daraufhin ein wenig gekränkt war, weil sie nicht genauso freudig gestimmt war wie ich. Jetzt betrete ich den Flur der Wohnung und sage halblaut den gleichen Satz wie meine Mutter damals: Laß mich doch erst mal heimkommen! Und ich schaue umher, ob ich mich nicht als empörtes Kind irgendwo herumlungern sehe. Für ein paar Augenblicke bin ich gleichzeitig meine Mutter und ihr Kind. Dann denke ich, jemand, der nach Hause kommt, ist nichts weiter als jemand, der nach Hause kommt. Es ist so sonderbar, daß ich das Küchenfenster öffnen muß. Auf dem Tisch liegt ein Stück Brot, das ich gestern habe wegwerfen wollen. Auch während des langsamen Kauens bin ich ein bißchen empört wie ein Achtjähriger und gleichzeitig ein bißchen genervt wie seine achtundvierzigjährige Mutter. Kurz darauf gerate ich in eine wunderbar lebensartige Stimmung. Ich schließe das Fenster und gehe zum Telefon. Ich rufe Messerschmidt an und sage ihm, daß ich sein Angebot annehme.

Ich öffne die Tür eines thailändischen Restaurants, sofort schlägt mir süßliche Klingel-Klangel-Musik entgegen. Guter Gott! Die tiefstehende Abendsonne macht allen Menschen gelbe Gesichter. Mir gefallen ein paar Kinder, die mit erfundenen Erlebnissen prahlen. Wie heftig sie schon jetzt gegen Enttäuschungen anreden! In einer Nebenstraße sitzt eine Mutter in einem Auto und stillt ein Baby. Figurlos gewordene Frauen, in weite Gewänder gewickelt, huschen vorüber. Ein Mann zieht zwei himmelblaue Kunststoff-Krücken aus einem Auto und humpelt dann weg. Flüchtig denke ich an Lisa. Es scheint, ich habe sie vergessen. Nein, das stimmt so nicht. Im Gegenteil, ich denke jeden Tag mehrmals an sie, aber es macht mir nichts mehr aus, daß ich sie nicht mehr sehe. Wie lange wird es dauern, daß mir die Erinnerung an ihr Gesicht und an ihre Stimme verlorengeht? Gerade will ich in das Schaufenster eines spanischen Restaurants hineinsehen, da entdecke ich Himmelsbach. In seiner Begleitung Margot. Also doch! Himmelsbach trägt seine fast schon glitschig gewordene Lederjacke und redet auf Margot ein. An seinem Hals baumelt ein Fotoapparat. Er träumt immer noch seinen Fotografentraum und redet über ihn. Zwischendurch deutet er mit dem Zeigefinger auf die Kamera und nimmt sie kurz in die Hand. Das spanische Lokal heißt EL BURRO und erscheint passabel, jedenfalls von außen und auf den ersten Blick. Himmelsbach und Margot reden jetzt gleichzeitig und schauen während des Gehens und Redens auf den Boden. Ich werde ein wenig schwach in den Knien und habe das Bedürfnis, mich hinzusetzen. Aber ich darf mich jetzt nicht hinsetzen, ich muß Margot und Himmelsbach im Auge behalten. Wieso werde ich schwach in den *Knien*? Es wäre mir lieber, ich würde im Kopf schwach werden, dann könnte ich vielleicht aufhören zu denken. So aber stelle ich mir jetzt die Frage, wie ich Himmelsbach sagen soll, daß er beim Generalanzeiger nicht mehr ankommt. Und wie soll ich seinen Verdacht zerstreuen, ich hätte an seiner Zurückweisung mitgewirkt? Wahrscheinlich werde ich so tun, als hätte ich vergessen, was er mir aufgetragen hat. Dann wird er mich für einen faulen Hausschuh halten und nicht mehr mit mir reden wollen. Mit diesem Ergebnis kann ich nur zufrieden sein. Wieso aber empfinde ich dann Schuld, daß aus Himmelsbach nichts wird? Außerdem ärgert mich, daß sich ein leichtes Rivalitätsgefühl in mir ausbreitet. Es ist, glaube ich, für mich das erste Mal, daß mir eine Frau sozusagen bei schwebendem Verfahren sozusagen weggenommen wird oder entgleitet. Gut, ich habe mich nicht weiter um Margot gekümmert. Ich hätte ihr zeigen müssen, daß ich mich für sie auch außerhalb des Friseur-Salons interessiere. Die entsetzliche Wahrheit ist, daß ich mich für sie außerhalb des Friseur-Salons kaum interessiere. Aber warum schmerzt mich dann ihr Anblick? Und warum möchte ich nicht, daß sie einem Typ wie Himmelsbach in die Hände fällt? Ein zischendes und pfeifendes Schienenreinigungsfahrzeug ruckelt vorüber und verhindert, daß mich meine eigenen Fragen weiter verfolgen. Himmelsbach legt während des Gehens seinen rechten Arm auf Margots Schultern und läßt seine Hand nach vorne baumeln. Ich hole ein wenig auf, weil ich sehen will, was Himmelsbach mit seiner baumelnden Hand macht und wie Margot auf sie reagiert. Es dauert nicht lange, dann läßt Himmelsbach seine Hand so pendeln, daß sie Margots Busen dann und wann berührt. Margot windet ihren Körper nicht aus der Umarmung heraus. Offenbar hat sie gegen die Berührungen nichts einzuwenden. Diese Entwicklung wirkt sich günstig auf mein Rivalitätsempfinden aus. Wegen seiner schülerhaften Annäherung tut mir Himmelsbach plötzlich leid. Seine Berührungen von Margots Busen sehen so aus (sollen so aussehen), als geschähen sie aus Versehen. Es ist unglaublich! Himmelsbach benimmt sich wie ein Sechzehnjähriger! Immer wieder streift Himmelsbachs Hand wie zufällig Margots Brustspitze. Genauso habe ich mich mit siebzehn der gleichaltrigen Judith genähert. Die Abstände zwischen Himmelsbachs Berührungen werden immer kürzer, bis seine rechte Hand einmal flüchtig fast vollständig Margots rechte Brust umfaßt und Margot über das Ergebnis der Annäherung weder erschrickt noch verwundert scheint. Es ist nicht zu glauben! Der ungefähr zweiundvierzigjährige Himmelsbach nähert sich der kaum jüngeren Margot, indem er die schimmeligen Tricks der Pubertät wiederholt.

In meinem Inneren mache ich ihn deswegen endgültig zu einer grotesken Figur. Wenn ich mich nicht täusche, fällt es mir jetzt nicht schwer, Margot aufzugeben. In meinem Denken läuft ein sonderbarer Handel ab. Himmelsbach hat mir, ohne es zu wollen, beim Generalanzeiger wieder zu einer Arbeit verholfen. Zum Ausgleich überlasse ich ihm dafür kampflos eine Frau. Mit dem Schmerz, den ich beim Verlust empfinde, bezahle ich die Schuld, daß ich bei der Vermittlung von Himmelsbach nicht erfolgreich war. Ist es so? Aber ich empfinde auch Schuld darüber, daß ich selbst bei Messerschmidt Glück (Erfolg) habe oder haben werde. Diese sonderbare Schuld ist unverständlich und gleichzeitig am unerbittlichsten. Es kann freilich auch ganz anders sein (Möglichkeit II): Weil Himmelsbach durch meine Schuld nie erfährt, daß er beim Generalanzeiger nichts mehr zu bestellen hat, übertrage ich ihm auch die Schuld dafür, daß ich selbst beim Generalanzeiger erfolgreich bin; denn wo einmal Schuld ist, wird sich auch künftig neue Schuld sammeln. Möglichkeit III sieht ganz abgelegen aus, was eine Täuschung sein kann: In Wahrheit suchen Himmelsbach und ich schon seit langer Zeit einen körperlichen Kontakt, der durch die ahnungslose Mithilfe von Margots Körper endlich zustande gekommen ist; indem wir beide mit Margot verkehrt haben, sind wir uns zum ersten Mal nahe gekommen. Möglichkeit IV erschüttert mich persönlich am meisten; danach macht meine Übernähe zu Himmelsbach nur deutlich, daß das ganze Leben ein pausenloses gegenseitiges Sichaufdrängen ist, eine Peinlichkeitsverdichtung ohne Beispiel. Plötzlich werde ich wieder schwach in den Knien. Ich habe ja von Anfang an gesagt, daß die Kräfte meiner Knie (von denen meines Kopfes ganz zu schweigen) nicht hinreichen, Ordnung in diese schwierigen Probleme zu bringen. Zum Glück habe ich meine Jacke nicht dabei. Sonst würde mich die niemals zu genehmigende Merkwürdigkeit des Lebens jetzt zwingen, die Jacke in irgendein Gestrüpp oder Geröll zu werfen und sie zwei Tage lang stumm anzuschauen. Während meiner inneren Erörterungen habe ich zum Glück Himmelsbach und Margot aus dem Blick verloren. Für Augenblicke überlege ich, ob ich wegen Himmelsbach die Stadt verlassen soll. Die Lächerlichkeit dieser Überlegung macht mich noch schwächer. Der gelbe Himmel nimmt langsam die Farbe von Orangen an. Bis zu meiner Verabredung mit Susanne habe ich noch mehr als eine Stunde Zeit. Ich will auf keinen Fall die ganze Zeit über nachdenken. Offenbar habe ich mich getäuscht. Es lief in meinem Inneren überhaupt kein Handel ab, sondern eine allmähliche Niederbeugung. Aber was ist denn niedergebeugt worden und wodurch genau? Guter Gott, jetzt gehen diese Fragen schon wieder los. Da kommt mir der Anblick eines etwa zehnjährigen Jungen zu Hilfe. Er betritt den Balkon eines Hauses in einer Seitenstraße und läßt eine an einer langen Schnur befestigte Kleiderbürste die Balkonbrüstung hinunterhängen. Eine Weile schwingt er die Bürste hin und her, dann hält er die Schnur an und wartet, bis die Bürste reglos hängt. Ich setze mich auf den Sockel einer Schaufensteranlage und betrachte die Bürste, die sich jetzt ganz langsam um sich selbst dreht. Der Junge tritt zurück in die Wohnung und schließt die Balkontür. Kurz darauf erscheint im Gardinenschlitz eines seitlich gelegenen Fensters das Gesicht des Jungen. Von dort betrachtet er die still hängende Kleiderbürste. Ich möchte so gleichmütig und ausgeglichen sein wie eine Bürste und dann wohlwollend von mir selber betrachtet werden. Ein paar Sekunden später muß ich über den vorigen Satz lachen. In Wahrheit bin ich dem Satz gleichzeitig dankbar. Er ist nur das Zeichen, daß ich mich habe beruhigen können. Ich glaube jetzt sogar, daß Teile der Ausgeglichenheit der Bürste auf mich selber übergehen. Ich rege mich im Augenblick nicht mehr darüber auf, daß ich nicht alles verstehe. Der orangefarbene Himmel wechselt erneut die Farbe. Über die Dachfirste schiebt sich ein Altrosa, das in der Höhe malvenfarbig wird. Ein leichter, kaum merklicher Wind schaukelt die Bürste hin und her. Auch dieses zu nichts führende Schaukeln würde ich gerne in mich aufnehmen. Ich halte es jetzt für meine Würde, daß ich nicht alles verstehe. Nach einer Dreiviertelstunde habe ich das Gefühl, daß die Kleiderbürste in meinem Körperinneren hin- und herschaukelt.

Susanne hatte leider nicht die Möglichkeit, die letzte Stunde in der Nähe einer sanft schaukelnden Kleiderbürste zu verbringen. Sie ist nervös, leer, abgekämpft. Wir gehen ins VERDI. Die Küche gilt als hundertprozentig, das Lokal ist fast voll. Zum Glück gibt es keine Musik, das Licht ist gedämpft. Eine Weile sehe ich den Leuten dabei zu, wie sie sich fortlaufend herrichten, wie sie sich den Mund abwischen, wie sie sich die Hosen und Röcke hochziehen und sich die Frisuren zurechtrücken. Susanne bestellt eine Hühnerbrust mit einer Estragon-Senf-Sauce, ich entscheide mich für eine Focaccia mit Salbei. Susanne geht dazu über, die Leute ringsum zu verdächtigen oder still zu beschimpfen.

Ich kann heute keine unzufriedenen Gesichter um mich sehen, sagt Susanne, die machen mich nur aggressiv und wütend.

Susanne kann nicht einmal ertragen, daß der Löffel in der Salatschüssel auf sie zeigt. Ich rechne damit, daß sie sich bald über das falsche Leben beklagt, in dem sie schon so lange steckt, und mir die Geschichte von der Schauspielerei erzählt, die sie schon so lange unterdrückt. Wenn Lisa so verdrießlich war, dann wußte ich, daß sie in Kürze ihre Tage haben würde und dicht an der Weinerlichkeitsgrenze lebte. Das Wort Weinerlichkeitsgrenze hat Lisa erfunden. Ich würde es jetzt gerne wieder verwenden und Susanne direkt fragen: Befindest du dich an der Weinerlichkeitsgrenze? Vermutlich würde sich Susanne freuen, wie genau ich ihre Situation erkannt hätte. Der Kellner bringt die Hühnerbrust für Susanne und für mich die Focaccia. Viel zu hastig machen wir uns darüber her. Aber nach einer Weile wäre Susanne noch mehr verstimmt, weil sie natürlich ahnen würde, daß nicht ich das Wort Weinerlichkeitsgrenze erfunden hätte. Ich wäre eingeschüchtert und würde zugeben, daß das Wort zu den paar Sachen gehört, die mir von Lisa geblieben sind (außer dem Geld, das ich nicht erwähnen würde). Dann würde ich darüber reden, wie elend es ist, daß ich immer dann, wenn ich einen Menschen halbwegs verstehe, mich an einen anderen Menschen erinnern muß, den ich *zuvor* gekannt habe. Ich habe erst sehr spät anerkannt, daß die Menschen einander stark ähneln. Zuvor hatte ich lange Zeit geglaubt, sie seien sehr verschieden. Dabei war damals nur das Wort Weinerlichkeitsgrenze gut, nicht seine Wirkung. Es schob sich vor vieles, was Lisa mir hätte sagen können, wenn mich das Wort nicht so stark beeindruckt und abgelenkt hätte. Weinerlichkeitsgrenze! rief ich immer wieder und lachte dabei und merkte nicht, wie Lisa von ihrem eigenen Wort zum Schweigen gebracht wurde, jedenfalls oft.

Obwohl ich von den Leuten hier niemand kenne, sagt Susanne, habe ich das Gefühl, erst gestern mit ihnen in irgendeiner Gemeinschaftsküche gefrühstückt zu haben.

Ich weiß nicht, was ich darauf sagen soll. Die Stimmung zwischen Susanne und mir gefällt mir nicht recht. Um sie zu verbessern, erzähle ich Susanne von einer Phantasie, die ich zu der Zeit hatte, als ich ihr kitschige Briefe schrieb.

Damals habe ich mir oft vorgestellt, wenn ich eines Abends nach Hause komme, sitzt du vor meiner Wohnungstür.

Hättest du mich reingelassen?

Es war eine Phantasie, nichts weiter.

Du hättest mich also nicht reingelassen?

Natürlich hätte ich. An manchen Abenden habe ich so sehr damit gerechnet, dich vor meiner Tür zu finden, daß ich vor Erregung feuchte Augen hatte.

Vor Erregung oder vor Erwartung?

Das habe ich damals nicht feststellen können.

Wir lachen.

Wenn ich feuchte Augen hatte, konnte ich nicht mehr denken, jedenfalls war das damals so.

Klar. Und heute?

Heute habe ich keine Phantasien mehr.

Ist das dein Ernst?

Ja. Meine Phantasien sind irgendwann abgestorben.

Das glaube ich nicht, sagt Susanne; wahrscheinlich bist du so sehr mit deinen Phantasien verwachsen, daß sie dir gar nicht mehr auffallen.

In diesem Augenblick wird die Musikbeschallung des Restaurants eingeschaltet. Das ist kein gutes Zeichen für den weiteren Fortgang dieses Abends. Susanne schnauft und schiebt den Rest ihres Huhns in die Mitte des Tischs. Vermutlich hätte ich mich vergewissern müssen, daß wir uns in einem Lokal ohne Musik befinden. Susanne schaut umher. Eine Weile sagen wir nichts zueinander.

Sieh dir die Frauen an, sagt Susanne; wie zwiespältig sie aussehen! Der Blick auf ihren Busen ist zwar anspornend, aber schau dir die traurigen Gesichter darüber an! Der Blick! Die bitteren Lippen! Und schon ist klar, daß die Freude an ihren Busen nicht groß sein wird.

Ich überlege, ob ich einen Nachtisch bestellen soll, aber dann frage ich: Sollen wir gehen?

Unseren Wein trinken wir noch aus, sagt Susanne.

Ein Kellner hat sofort bemerkt, daß wir gehen wollen. Er kommt herbei und legt die Rechnung auf den Tischrand.

Würdest du heute nacht bei mir bleiben?

Wenn du mich aushältst, sage ich.

Ich wollte fragen, ob du mich aushältst.

Wir lachen.

Du müßtest aber eine Aufgabe erledigen, sagt Susanne.

Ich warte.

Ich wache leider oft auf, sagt Susanne, jedenfalls zur Zeit, weil ich ein bißchen überdreht und flatterig bin. Ich werde oft das Licht anmachen und im Taschenspiegel meine wehe Zunge betrachten, ich werde Panik kriegen vor Krebs und Eierstock und Pipapo. In meinem Nachtschränkchen liegt eine halbe Tafel Schokolade, und wenn ich zuviel rede, dann mußt du mir ein kleines Stück Schokolade in den Mund schieben und meinen Kopf sanft in die Kissen drücken. Dann werde ich mit langsam im Mund zerfließender Schokolade wieder einschlafen können.

Ich übernehme den Auftrag, sage ich.

Erst in ihrem Schlafzimmer fragt mich Susanne, ob mir ihr Kleid gefällt. Sie trägt eine stilisierte Fliegermontur aus hellgrauer, leichter Naturfaser mit quer aufgesetzten Reißverschlüssen, die den ganzen Abend halb geöffnet sind. Darunter leuchtet eine zitronengelbe Bluse, in deren Ausschnitt eine Halskette mit kindlich kleinen Perlen sichtbar ist. Unterhalb ihrer Augen hatte Susanne ein wenig Goldstaub aufgetragen, den sie sich jetzt abwischt. Auch die pyramidenförmigen Ohrclips entfernt sie.

Ich bin ratlos, sage ich wahrheitsgemäß; damit meine Antwort nicht allzu enttäuschend klingt, setze ich hinzu: Im allgemeinen überschätzen Frauen die Wirkung ihrer Kleider, jedenfalls auf die Männer. Den meisten Männern ist es nicht wichtig, wie Frauen angezogen sind.

Gehörst du zu diesen Männern?

Ich fürchte.

Aus ihrem Nachtschränkchen holt sie eine halbe Tafel Schokolade heraus und legt sie auf die andere Seite des Bettes. Außerdem eine Schachtel mit Zündhölzern. Sie entzündet nacheinander sechs Kerzen, die in einem hohen Kerzenständer auf einer Kommode stehen.

Ich kriege manchmal von der Inhaberin einer Boutique, in der ich oft einkaufe, eine Bluse oder ein Kleid geschenkt, das die Inhaberin zwei- oder dreimal selbst getragen hat und dann nicht mehr verkaufen will.

Ahh so, mache ich zerstreut.

Ich sehe, du interessierst dich wirklich nicht für Kleidung.

Muß ich mich dafür entschuldigen?

Susanne lacht und und stellt den Leuchter mit den Kerzen noch etwas weiter weg. Auf dem Grund einer Obstschale, die zur Hälfte mit Orangen und Äpfeln gefüllt ist, sehe ich ein Röllchen mit Kopfschmerztabletten liegen und denke nur: Ja, klar, natürlich.

Glaub nicht, daß ich verkitscht bin und bei Kerzenschein geliebt werden möchte, sagt Susanne; der Grund ist einfacher: Ich möchte nicht zu genau angeschaut werden.

Ach Gott, antworte ich, auch dieses Problem wird von den Frauen überschätzt.

Ich glaube, du willst mich nur beruhigen, sagt Susanne.

Mich selber auch.

Im Kern ist Susanne vermutlich melancholisch, deswegen können wir zusammen sprechen und verstehen uns einigermaßen. Obwohl mir bisher nicht klargeworden ist, ob Susanne von ihrer Melancholie weiß. Die Materialkulte um sie herum (zuviel Klamotten, zuviel Unterhaltung, zuviel Sinnsuche, zuviel Dekoration) deuten eher auf ein Nichtwissen hin.

Du mußt dich trauen, langweilig zu sein, sage ich.

Warum?

Es ist nicht möglich, die Langeweile der Liebe auf Dauer zu leugnen.

Das kann ich mir nicht leisten, sagt Susanne.

Was hindert dich?

Ich kämpfe sowieso schon mein halbes Leben lang gegen die Vorstellung, daß ich gar nicht da bin.

Die langweiligen Frauen bringen es am weitesten; ihre Liebe ist dauerhaft und tief, sage ich.

Susanne legt zwei Orangen und einen Apfel neben den Kerzenständer.

Willst du eine Orange essen? frage ich.

Nein, ich will nur deutlich das Obst sehen, wenn ich im Bett liege, sonst beschleicht mich nach einer Weile das Gefühl, ich liege in einer Totenhalle.

Du denkst zuviel, sage ich.

Klar, sagt Susanne, du etwa nicht?

Wir lachen und küssen uns. Dann setzt sie sich mit nackten Beinen auf den Bettrand und fragt: Kannst du mich einmal sehr kritisch anschauen?

Ich setze mich auf den einzigen Stuhl und betrachte Susanne. Ein bißchen fürchte ich mich davor, daß für eine Frau wie Susanne auch die Sexualität schick sein muß, genau wie das Essen und die Restaurants und die Kleidung und das Wochenende.

Und? fragt Susanne.

Was und?

Fällt dir irgend etwas auf?

Ich weiß nicht, worauf du hinauswillst.

vergessen habe, die Socken abzulegen. Ich habe sofort die Vorstellung, das wird Susanne nicht dulden können. Es ist mir im Augenblick nicht möglich, die Strümpfe unbemerkt abzustreifen und verschwinden zu lassen. Mich selber beeinträchtigt das Mißgeschick nicht, im Gegenteil. Mißgeschicke bringen Unschuld hervor; sie erinnern mich unmerklich daran, daß ich mich im Leben nicht genügend auskenne und nie ausgekannt habe. Prompt rutsche ich in mein Grundgefühl hinein, daß ich mich immer nur halbwegs zurechtfinde und deswegen wie aus Versehen lebe. Dabei ist Susannes Leib weich und flößt mir kindliches Vertrauen ein. Aus dem Gefühl des versehentlichen Lebens wird, weil es nicht abgebremst wird, die Vorstellung eines kleinen schmachvollen Scheiterns. Auch mit diesem Gefühl bin ich vertraut. Ich bin es gewohnt, im Scheitern weiterzumachen. Eine Weile weiß ich nicht, was geschieht und wie ich davonkommen werde, aber ich mache weiter. Und zwar so lange, bis ich plötzlich den Eindruck habe, ich befinde mich inmitten eines neuen, zweiten Anfangs. Susanne und ich reden jetzt nicht mehr. Ich hebe Susanne von mir herunter und lege sie neben mich. Dabei gelingt es mir, meine Füße unter einen Zipfel der Bettdecke zu schieben. Von Susannes Geschlecht geht jetzt ein leicht säuerlicher Geruch aus, der Susanne wahrscheinlich nicht recht ist, mich aber anregt. Im Bett riecht es plötzlich wie nach der fast immer offenstehenden Brotschublade in der Küche meiner Mutter. Susanne schaut mich an, am liebsten würde ich ihre Bänglichkeit zerstreuen und ihr sagen: Beruhige dich, du duftest wie nach einer guten alten Bäckerei. Vermutlich wäre Susanne auch mit diesem Bild nicht einverstanden. Es ist verboten, unseren nach Erhabenheit verlangenden Liebeseifer mit einer Alltagsidee zu beein-

trächtigen. Ich drehe mich um und öffne Susannes Beine.
Mit dem Hinterteil lasse ich mich aus dem Bett rutschen.
Susanne merkt, was ich vorhabe, und schiebt mir ihren
Unterleib entgegen. Sie spreizt die Beine, so weit sie kann.
Ich beuge mich über sie und küsse ihr säuerliches Geschlecht. Erst dadurch kann ich ausdrücken, daß ich
gegen den Brotgeruch der Liebe nichts einzuwenden
habe, im Gegenteil. Susanne wimmert leise und hält mit
beiden Händen meinen Kopf. Mit nach vorne zugespitz-
tem Mund sauge ich die Schamlippen in meinen Mundin-
nenraum und lasse sie beim Hinausgleiten über die untere
Zahnreihe rutschen. Genau in diesen Augenblicken fällt
mir Himmelsbach ein. Ich sehe ihn und Margot durch die
Stadt ziehen. Es ist, als würde mein Liebesanfang mit Susanne ein weiteres Mal gestört. Ich verhöhne Himmelsbach und seine schülerhaften Annäherungsversuche. Ich
lasse Susannes Schamlippen aus meinem Mund gleiten
und denke: Siehst du, Himmelsbach, so macht man das.
Ich küsse Susannes Geschlecht länger als vorgesehen. Die
Überzeit gilt der Wiederaustreibung Himmelsbachs aus
meinem Bewußtsein. Weil ich nicht weiß, ob sie mir gelingt, bricht mir am Hals und am Kopf Schweiß aus.
Wenn es so weitergeht, werden Susanne und ich einen
dritten Liebesanfang benötigen. Ich weiß nicht, was ich
tun soll, um nicht mehr an Himmelsbach zu denken. Es
bleibt mir nur das langsam schwächer und leerer wer-
dende Vertieftsein in Susannes Geschlecht. Ich habe dabei
die Vorstellung, daß ich laufend kleine Verbeugungen vor
dem Leben mache. Und gleichzeitig beuge ich damit das
Leben selbst. Es entsteht zwischen Susannes Beinen die
Hoffnung, daß ich das Leben eines Tages werde genehmi-
gen können, wenn ich mich oft genug vor ihm verbeugt

eine Weile zu und will etwas fragen, aber dann fällt mir ein, daß man eine still gewordene Frau besser nicht fragt, was sie gerade tut.

10

Tagelang habe ich überlegt, ob ich meiner Verärgerung nachgeben und die Arbeit als Schuhtester aufgeben soll. Gestern abend erst habe ich beschlossen, den Job vorerst zu behalten, trotz der schlechter gewordenen Bezahlung. Ich sitze im Zimmer und tippe die Testberichte für die Schuhe, die ich zuletzt von Habedank bekommen habe. Natürlich habe ich schon früher immer mal wieder nachlässig gearbeitet, aber heute geschieht es zum ersten Mal, daß ich die Testberichte komplett erfinde. Ich werde in Zukunft nur noch phantasierte Berichte abliefern und die Schuhe zum Ausgleich für den Honorarausfall laufend auf dem Flohmarkt verkaufen. Seit Tagen regnet es. Ich sitze im vorderen Zimmer bei geöffnetem Fenster. Ich schätze den Geruch, der nach langem Regen aus der Tiefe der Stadt aufsteigt. Es ist ein Gemisch aus Mörtel, Schlamm, Schimmel, Urin, Staub, Moor, Rost. Dann und wann unterbreche ich die Arbeit, gehe ein bißchen durch die Wohnung und betrachte die Leute in den Häusern gegenüber. Auch sie betrachten mich, wir fliehen nicht voreinander, manchmal lächeln wir uns kurz an, vielleicht hat uns der Regen milde gemacht. Am eindrucksvollsten ist im Augenblick eine etwa sechzigjährige Frau, die sorgsam den Dreck und den Staub auf ihrem Balkon zu einem Häufchen zusammenkehrt, das Häufchen dann aber liegenläßt und es zuweilen von ihrer Wohnung aus betrachtet. Von mir aus müßte es keine gewichtigeren Ereignisse geben. Wind kommt auf und verweht das von der Frau zusammengekehrte Häufchen. Die Frau beobachtet die Vernichtung ihrer Arbeit, geht aber nicht gegen sie vor. Am dritten Regentag ruft Frau Balkhausen an. Ich bin am Telefon eine Weile wortkarg, fast verdutzt. Genaugenommen weiß ich nicht recht, was mich mit Frau Balkhausen verbindet, was ich offenbar nicht völlig verheimlichen kann. Prompt überfällt mich mein häufigstes Telefongefühl: Daß ich mich auf das Eintreffen einer schlimmen Nachricht vorbereiten muß, aber ich komme mit den Vorbereitungen zu spät und muß die schlimme Nachricht ohne jeden Schutz annehmen. Dabei kriegt Frau Balkhausen höchstens die Karikatur einer schlimmen Nachricht zustande. Sie gehört zu den Menschen, die sich ohne mein Zutun mit mir unterhalten können.

Drei Dinge sind mir gerade kaputtgegangen, sagt sie; meine Badezimmerlampe ist hin, eine Vase ist mir heruntergefallen, und die Naht meiner blauen Hose ist gerissen!

Frau Balkhausen lacht, ich schweige, beziehungsweise ich bringe einen knappen Satz hervor, der verunglückt, indem ich ihn ausspreche.

Dann habe ich beschlossen, Sie anzurufen! sagt Frau Balkhausen; Sie haben mich selbst dazu ermuntert! Ich bin doch verbunden mit dem Institut für Gedächtniskunst, oder?

O Gott! Dieses Institut habe ich genauso vergessen wie Frau Balkhausen; ich lache jetzt auch, aber ich merke, ein Lachen wird nicht ausreichen, das Institut vergessen zu machen.

Ich habe so oft über Ihr Institut nachgedacht! sagt Frau Balkhausen.

Viel zu lange reden wir darüber, ob wir uns nachmittags, spätnachmittags oder abends treffen sollen. Ich erinnere mich jetzt, Frau Balkhausen hat beim Institut für Gedächtniskunst, das heißt bei mir und mit mir, eine Erlebniseinheit gebucht. Frau Balkhausen möchte sich am liebsten nachmittags mit mir treffen.

Abends kann man sich ja nur in ein Lokal setzen, sagt sie, aber dann ist man wieder mit diesem schrecklichen Erlebnisproletariat zusammen! Und mit diesen Leuten will ich nichts mehr zu tun haben!

Das Wort Erlebnisproletariat habe ich nie gehört, ich überlege, was ein Erlebnisproletariat sein könnte oder ob Frau Balkhausen dieses Wort nur erfunden hat, um mir eine Vorstellung davon zu geben, daß sie ein anspruchsvoller und schwieriger Mensch ist, der mit Erlebnissen von der Stange nicht zufriedenzustellen ist. Während des ganzen Telefonats schaue ich in mein offenstehendes Blätterzimmer hinein. Die Blätter sind inzwischen ganz trocken geworden und haben sich eindrucksvoll gerollt oder gekrümmt. Augenblicksweise ist mir klar, warum ich mich nach einem Blätterzimmer gesehnt habe. Es sollte wenigstens einen Raum geben auf der Welt, in dem ich nicht erschreckt werden kann. Es sollte wenigstens einen Raum geben, in dem mir nichts zu nahe tritt, in dem keine Forderungen an mich erhoben werden können. Wenn ich zwischen den Blättern umhergehe, verläßt mich sogar das Gefühl, daß ich mit etwas abrechnen müßte. Zweifellos ist das Blätterzimmer eine Erfindung meiner vielleicht listigen Seele.

Ich suche einmalige Erfahrungen, sagt Frau Balkhausen, echte, persönliche Erfahrungen, Sie verstehen mich, oder?

Obwohl ich nicht die geringste Ahnung habe, was ich mit Frau Balkhausen anstellen soll, verabrede ich mich um sechzehn Uhr mit ihr.

gegen die hintere Balkonwand gelehnt, der Mund steht offen, die Hände liegen reglos im Schoß. Die links und rechts herunterhängenden Bettlaken sind wie Leichentücher, die gleich über sie ausgebreitet werden. Aber dann erwacht die Frau doch noch einmal und greift sofort in die Wäsche, die noch immer nicht trocken ist. Es ist ein phantastisches Bild. Die Tote erwacht und wendet durch eine Berührung der Leichentücher ihren wirklichen Tod doch noch einmal ab. Die Raucherin ist inzwischen bei ihrer zweiten Zigarette angekommen. Durch das Beobachtetwerden ist sie ein bißchen wütend und aggressiv geworden. Dabei ist niemand da, gegen den sie aggressiv werden könnte. Sie schaut nur flackernd und wehmütig umher und zieht zu heftig an ihrer Zigarette. Wenig später verfange ich mich selbst in den Stricken meiner Verrücktheit. Auf dem Weg zur Toilette schaue ich zu lange in den Flurspiegel und bin plötzlich überzeugt, ich habe wieder das Gesicht eines Elfjährigen. Es ist ein weißliches, rundliches, fast mondförmiges Gesicht mit hellem Haar an den Rändern. Die Augen sind blau und wäßrig, die Lippen kleben trocken aufeinander, die Haut ist ein wenig aufgerauht, im Mund verharrt ein fader Geschmack, der nicht verschwindet, die Kopfhaut juckt immerfort, die Zunge bewegt sich nicht, nur die kleinen Mondaugen irren umher und fragen immerzu: Wann tritt die Qual ins Leben? Und wodurch? Wird mich jemand verspotten? Wird ein anderes Kind bald du kleines Mondkalb zu mir sagen? Und dann meinen lächerlichen Pullover anfassen und mich auch endlich meiner Kleidung wegen verhöhnen? Und werde ich dann nach Hause gehen und mich, wie jetzt wieder, auf ein Sofa setzen und abwarten, bis der Spuk vorüber ist? Mit *diesem* Gesicht werde ich mich Frau Balkhausen nicht zeigen können. Das Verhuschte, das Erschrockene, das Fliehend-Unfähige meiner Kindheit zieht immer wieder neu durch mich hindurch und drückt mich fast eine Stunde lang auf das Sofa nieder. Dann erhebe ich mich und öffne die Schranktür. Jetzt sind wenigstens zwei merkwürdige Erscheinungen in diesem Raum, ein offener Schrank und ich. Ich fasse wie die Frau auf dem Balkon mit der Hand in die Wäsche, die noch von Lisa gebügelt worden ist. Eines der Handtücher nehme ich heraus und trage es ein wenig in der Wohnung umher. Ich werde müde wie die Frau auf dem Balkon. Ich lege mich zurück auf das Sofa, das zusammengelegte Handtuch dient mir als Kopfkissen. Aus dem Handtuch dringt der Geruch von Lisa, er hilft mir beim Einschlafen. Ich schlafe ungefähr eine Stunde lang. Danach ist der Spuk des Kindergesichts verschwunden.

Die tagelangen Regenfälle haben den Fluß über die Ufer treten lassen. Die breiten Flußwiesen sind weitgehend überschwemmt. Die Schiffsanlegestelle ist eingezogen worden, der Fluß drängt und stößt und strömt an der steinernen Uferböschung entlang. Frau Balkhausen steht in der Nähe eines Feuerwehrautos und sieht ein paar Männern dabei zu, wie sie mit Sandsäcken die Kellerfenster einiger Häuser abdichten. Frau Balkhausen trägt ein erdfarbenes Kleid und sieht resigniert aus. Geduckt und ein wenig gepeinigt blickt sie zur Seite, als ich auf sie zugehe und sie begrüße. Eigentlich wollen wir spazierengehen, aber dann entdecken wir, daß uns beiden der Anblick des vorübertreibenden Flusses gefällt. Deswegen setzen wir uns auf eine Bank und schauen auf das lehmgelbe Wasser herunter. Kurz darauf spricht Frau Balkhausen über das Problem ihrer Langeweile.

Ich kann machen, was ich will, sagt sie, ich weiß immer schon vorher, daß ich rasch angeödet sein werde. In den letzten Monaten ist es so schlimm geworden, daß ich dachte, ich muß irgend etwas unternehmen … und dann habe ich wie durch eine Fügung Sie kennengelernt.

Ich zucke zusammen, was Frau Balkhausen nicht bemerkt.

An welcher Art von Langeweile leiden Sie? frage ich; ist es eine Einzellangeweile oder eher eine Massenlangeweile?

Einzellangeweile? fragt Frau Balkhausen.

Haben Sie das Gefühl, frage ich, daß Sie, wenn Sie mit sich allein sind, die Langeweile in ihrem Inneren entsteht, ohne daß Sie sich wehren können, sie kommt einfach, sozusagen mit bösartiger Plötzlichkeit?

Ja, genau, mit bösartiger Plötzlichkeit.

Das ist eine Einzellangeweile, sage ich; oder ist es so: Sie sind mit anderen Menschen zusammen, im Theater oder im Schwimmbad oder sonstwo, Sie unterhalten sich gut, Sie sind ja auch extra ins Theater oder ins Schwimmbad gegangen, weil Sie sich gut unterhalten wollten, aber dann spüren Sie, daß all das, was Sie gut unterhält, in Wahrheit anödet.

Das kommt genausooft vor! sagt Frau Balkhausen. Und das ist mir besonders peinlich. Ich bin mit vielen Bekannten zusammen, ich bin überzeugt, daß ich mich amüsiere und daß ich mich wohl fühle, und doch fühle ich plötzlich, daß mich nichts wirklich ergreift, daß alles an mir vorübergeht, ein scheußliches Gefühl. Ist das eine Massenlangeweile oder eher eine Einzellangeweile?

Wir befinden uns jetzt in einem richtigen Therapeutengespräch; ich kann weder Frau Balkhausen abbremsen noch mich selber.

Wie war das bei Ihrem letzten Anfall von Langeweile; was war zuerst da: die eigene Öde oder die Öde der anderen?

Bei meinem letzten ... ja ... wie war das, macht Frau Balkhausen, ach ja ... o Gott ... Tübingen ... grauenvoll ... ich geniere mich, darüber zu sprechen.

Waren Sie allein? frage ich; ich tupfe mir den Schweiß der Verlegenheit von der Stirn. Frau Balkhausen beobachtet mich, aber sie hält, glaube ich, meine Transpiration für ein Zeichen von Seriosität und Vertiefung.

Nein, sagt Frau Balkhausen, ich war mit meinem Freund unterwegs, er hatte einen Artikel gelesen über eine große Impressionisten-Ausstellung in der Tübinger Kunsthalle. Sofort habe ich gesagt: Da fahren wir hin! Die Impressionisten! Guter Gott! Endlich können wir einmal die Originale sehen. Wir haben uns richtig gefreut. Wir wollten eine Nacht bleiben, damit wir die Bilder am nächsten Tag noch einmal anschauen konnten. Einmal hingucken genügt ja nicht bei derartig berühmten Gemälden, nicht wahr?! Aber dann, nach stundenlanger Fahrt, haben wir in Tübingen die Kunsthalle betreten. Gleich rechts hing das Bild ... äh ... die Ernte heißt es oder wie, egal, dieses wunderbare Sommerbild, Sie werden es kennen! Da packte mich eine furchtbare Langeweile! Ich dachte: Guter Gott, Cézanne. Ich blickte nach links, dort hing ein anderes Sommerbild, den Titel habe ich nicht präsent, ich dachte: Diese Bilder hängen doch heute in jedem Klassenzimmer und in jedem Sekretariat, das kann man sich doch nicht mehr anschauen! Diese schlichte Wartezimmerkunst! Die Langeweile lähmte mich. Ich konnte kaum einen Schritt weitergehen. Dann habe ich meinen Freund angeschaut, der war in Gedanken schon wieder draußen.

Er hatte sich schon während der Autofahrt gelangweilt. Er hatte nur den Mund gehalten, weil er mir den Spaß nicht verderben wollte. Und dann hat er gesagt, daß er sich schon auf der Autobahn das Gedränge vor den Bildern vorgestellt hätte, von allen Seiten wirst du angerempelt, sagte er, links ist eine Führung für Hausfrauen aus Reutlingen, rechts ist eine Führung für Hausfrauen aus Böblingen, von hinten riechst du den Schweiß alter Männer, und vor dir tobt eine Schulklasse aus Ravensburg! Kurz darauf haben wir uns ins Auto gesetzt und sind nach Hause gefahren.

Ohne die Bilder gesehen zu haben?

Ja, sagt Frau Balkhausen, ohne die Bilder gesehen zu haben.

Frau Balkhausen ist von ihrer Erzählung halb erschöpft, halb bestürzt. Wir schweigen und schauen auf das vorüberziehende Wasser. Ein kleiner Holztisch treibt mit den Beinen nach oben an uns vorbei. Ich überlege, warum mir Frau Balkhausen die Geschichte ihrer Tübinger Langeweile erzählt hat. Ich finde nur eine Erklärung: Frau Balkhausen ist eine umherziehende Lähmerin. Gegen sie bin ich machtlos. Jetzt wird eine vollgesogene Matratze an unseren Blicken vorbeigeschwemmt, gefolgt von abgebrochenen oder heruntergerissenen Ästen und Gestrüpp. Ein Einsatzwagen der Polizei hält an der Brücke. Drei Polizisten springen heraus und beginnen, den Zugang zur Brücke abzusperren. Der Treppenaufgang liegt unter Wasser, die Brücke ist unpassierbar geworden. Ich bin froh, daß sich vor unseren Augen etwas abspielt. Denn ich habe keine Ahnung, welche Frage ich jetzt stellen oder wie ich Frau Balkhausens Erzählung analysieren oder welchen Rat ich ihrer Lebensnot geben könnte. Inzwischen bin ich der Meinung, daß es niemanden gibt, der Frau Balkhausens Zermalmungen gewachsen ist/wäre. Sie will auch nicht, daß man ihr hilft, sie will immer nur jemanden lähmen, heute also mich. Deswegen könnte ich im Prinzip eingestehen, daß unser Zusammentreffen ein Mißverständnis ist. Frau Balkhausen, ich bin kein Erlebnistherapeut, ich habe nur ein bißchen scherzhaft geredet, und Sie sind leider auf mich hereingefallen. Wahrscheinlich müßte Frau Balkhausen dann lachen, weil ich immer noch glaube, *sie* sei *auf mich* hereingefallen. Der Wagen eines Fernsehteams hält bei der Brücke. Ein Kameramann, ein Tonmann und eine Reporterin steigen aus, außerdem ein Gehilfe, der die Geräte auspackt. Frau Balkhausen und ich schauen zu, angenehm vergeht die Zeit, meine Demaskierung als Schwindler und Scharlatan wird noch einmal hinausgeschoben. Inzwischen übe ich im stillen die Sätze, die ich zu meiner Entschuldigung hervorbringen werde. Sehen Sie, es war nur eine Sektlaune. Mein Temperament geht manchmal mit mir durch. Was glauben Sie, wie oft ich schon Opfer meiner eigenen Redelust geworden bin. Das müßte genügen, so ungefähr. Die Fernsehreporterin nimmt das Mikrophon und fragt Passanten, warum sie hier sind und was sie am Hochwasser interessant finden. Die Passanten antworten nur ausweichend oder verlegen. Sie sagen *Nur so* oder *Zufall* oder *Weiß nicht,* oder sie machen nur *Ähhh.*

Mich fragt mal wieder niemand, sagt Frau Balkhausen neben mir.

Würden Sie gerne gefragt werden? Was würden Sie antworten?

Ich geniere mich natürlich auch, sagt Frau Balkhausen, aber wenn ich mich nicht genieren würde, würde ich sagen: Ich liebe Hochwasser, weil ich die Welt gerne untergehen sehe.

Frau Balkhausen lacht, ich lache mit.

Diesen Satz müssen Sie unbedingt in die Kamera sprechen, sage ich.

Aber ich geniere mich, sagt sie; wenn die Kamera auf mich gerichtet ist, kriege ich keinen Satz raus, außerdem würden sie meine Erklärung sowieso nicht senden.

Das glaube ich nicht, im Gegenteil, sage ich, heute wird nur noch gesendet, was kraß und unwahrscheinlich ist.

Aber ich geniere mich trotzdem, sagt Frau Balkhausen.

Warum?

In Wahrheit möchte ich ganz biedere Sätze sagen, ich möchte nicht auffallen.

Das glaube ich Ihnen nicht.

Sie meinen, ich möchte auffallen?

Ja.

Und wie soll ich es anstellen?

Ich gehe mit Ihnen.

Und dann?

Wir gehen scheinbar absichtslos auf die Reporterin zu, sage ich; die Reporterin wird Sie entdecken und Ihnen das Mikrophon entgegenhalten, dann sagen Sie den Satz, den Sie eben zu mir gesagt haben.

Frau Balkhausen sträubt sich ein wenig, aber sie ist auch erregt, vielleicht wirklich in eine Kamera sprechen zu können. Wir stehen auf und tun so, als wollten wir weggehen. Aber dann drehen wir uns um und gehen in Richtung Fernsehteam zurück. Die Reporterin löst sich von ihrem Team und wendet sich mit freundlichem Gesicht Frau Balkhausen zu. Es geschieht genau das, was ich vorhergesagt habe. Und Frau Balkhausen findet die Kraft, ihren Satz zu sagen: Ich habe Hochwasser gern, weil ich die Welt gern untergehen sehe.

Die Reporterin ist überrascht und erfreut und sagt: Wie originell! Und dann hakt sie nach: Aber die Welt geht doch gar nicht unter?!

Natürlich nicht, sagt Frau Balkhausen, es sieht nur so aus, verstehen Sie?

Aha, sagt die Reporterin, Sie mögen den Schein?

Ja, sagt Frau Balkhausen, den Schein und das Als-ob! Man denkt, endlich schwimmt der ganze Schrott weg, aber dann bleibt er doch, beziehungsweise er kehrt zurück! Es war alles nur eine kleine Überschwemmung, weiter nichts!

Die Reporterin lacht kurz und senkt das Mikrophon nach unten. Das ist ein hübsches Statement, sagt sie.

Werden Sie es senden? fragt Frau Balkhausen.

Ganz sicher weiß ich es nicht, aber vermutlich werden wir es senden.

Wann?

Heute um neunzehn Uhr in der Abendschau.

Die Reporterin bedankt sich und wendet sich anderen Hochwasser-Touristen zu. Aus Begeisterung henkelt sich Frau Balkhausen bei mir ein.

Es ist unglaublich, sagt Frau Balkhausen im Weggehen; ich habe tatsächlich gesagt, was ich denke, ich glaube, das ist mir noch nie passiert.

Die zweistündige Erlebnisübung, die sie bei mir gebucht hat, ist vorüber. Frau Balkhausen öffnet ihre kleine Handtasche und gibt mir das vereinbarte Honorar in Höhe von zweihundert Mark. Ich weiß nicht, ob sie die vielfältigen Hemmungen bemerkt, die in diesen Augenblicken durch mich hindurchziehen. Ich strenge mich an, keinen Gedan-

ken an mich heranzulassen. Es klappt nicht. Ein peinliches
Unbehagen breitet sich in mir aus. Dann verabschiedet sich
Frau Balkhausen.

Darf ich Sie bei Gelegenheit wieder anrufen? fragt sie.

Natürlich, sage ich sinnlos eifrig und nicke auch noch.

Frau Balkhausen geht nach links in Richtung Südbrücke, die noch passierbar ist. Immer mehr Schaulustige
bleiben bei der Schiffsanlegestelle stehen, die jetzt fast
vollkommen unter Wasser liegt. Nur noch das Eisengeländer des Stegs schaut aus dem Wasser heraus. Das haltlos
schwankende Geländer würde Frau Balkhausen vermutlich gefallen. Die Polizei beendet die Absperrungsarbei-
ten. Das Fernsehteam verstaut die Geräte im Wagen. Das
plötzlich verlassene Ufer nimmt mich gefangen. Besonders
gefällt mir ein Holzkahn, der an einem Baum festgebun-
den ist und in der Strömung lose hin- und herschaukelt. Er
ist halb gefüllt mit Wasser, er kommt nicht mehr richtig
hoch, aber er geht auch nicht unter. Genauso fühle ich
mich, denke ich sofort, und ebenso schnell kommt mir die
Gleichsetzung meines Lebens mit dem Boot lächerlich vor.
Guter Gott, wie mir dieser Zwang zum bedeutungsvollen
Sehen auf die Nerven geht. Beinahe kann ich mir zuhören,
wie ich mich selbst ermahne: Ein Kahn ist ein Kahn und
sonst nichts. Kurz darauf schwimmt eine Ente vorüber; sie
hat ein Bein eigentümlich hochgestellt. Und obwohl ich
mich gerade ermahnt habe, nicht mehr bedeutungsvoll zu
sehen, fällt mir doch der Satz ein: Guter Gott, jetzt sind
auch noch die Enten behindert. Wenige Sekunden später
holt die Ente das hochgestellte Bein ins Wasser zurück und
schwimmt normal weiter. Ich warte noch eine Weile, bis
Frau Balkhausen einen sicheren Vorsprung hat, dann verschwinde ich ebenfalls in Richtung Südbrücke. Wenn ich

die Merkwürdigkeit des Lebens in diesen Augenblicken ausdrücken wollte, würde ich meine Jacke in das braune Flußwasser werfen müssen. Und zwar würde ich warten, bis ich auf der Südbrücke wäre, dann würde ich die Jacke in hohem Bogen ins Wasser hinabwerfen. Sie würde im Wasser treiben, um sie herum würde die Strömung herumschluppen und herumschlappen, und genau das wären dann die neuesten Wörter für die Merkwürdigkeit des Lebens: das Geschluppe, das Geschlappe. Kurz darauf betrete ich wirklich die Südbrücke. Sofort spüre ich die Versuchung, meine Jacke hinunterzuwerfen. Ich weiß nicht, warum ich es nicht tue. Wenn ich die Jacke von oben betrachten könnte (sie wäre schon nach kurzer Zeit total durchnäßt und als *meine* Jacke nur noch von mir wiedererkennbar), wie sie den Fluß hinabtreibt und sich dabei ein wenig um sich selbst dreht, würde ich vielleicht die Sonderbarkeit verstehen können, daß ich soeben mit Hilfe eines lächerlichen Mißverständnisses und einer ebenso lächerlichen Plauderei zweihundert Mark verdient habe. Aber ich behalte meine Jacke an, ich durchstehe die Merkwürdigkeit der letzten zwei Stunden, und ich erreiche das andere Ende der Brücke. Alles, was ich dabei empfinde, ist eine Sympathie mit meinem hoffentlich noch fernen Tod. Himmel, schon wieder ein schwer bedeutsamer Satz! In Wahrheit erfahre ich nur meine Teilnahme am allgemeinen Trivialschicksal: Am Ende meines Lebens steht der Tod, weiter ist nichts. Ich weiß sogar, warum ich meine Jacke nicht in das Wasser geworfen habe: Trotz aller Merkwürdigkeit bin ich bisher nicht verrückt geworden. Die Angst vor der Verrücktheit war immer nur die Angst vor der Kapitulation. Ich biege in die belebte Chamisso-Straße ein. Wohlwollend betrachte ich die Geschäftigkeit der

Leute. Doch dann kann ich einem entsetzlichen Anblick nicht ausweichen. Ich sehe Himmelsbach, wie er mit einem mit Prospekten vollgeladenen Supermarkt-Wägelchen die Straße entlanggeht; vor jeder Haustür macht er halt und schiebt in jeden Briefkastenschlitz einen Prospekt ein. Wenn es an einer Haustür keine Briefkastenschlitze gibt, bückt er sich und drückt ein paar Prospekte unter dem Türspalt durch. Es kommt mir ein furchtbarer Gedanke: Himmelsbach scheitert an meiner Statt. Von Anfang an, seit ich ihn in Paris habe Schiffbruch erleiden sehen, war es seine Aufgabe gewesen, mir das Spiegelbild eines Scheiternden vorzuführen und mich vor mir selbst abzuschrecken. Ich bin machtlos, ein riesiges Durcheinander strömt durch mich hindurch und treibt mir die Feuchtigkeit in die Augen. Ich verlangsame meinen Gang und verstecke mich hinter geparkten Autos. Ich will Himmelsbach nicht begegnen und nicht mit ihm sprechen. Er würde mich und sich nicht begreifen, und ich hätte nicht die Kraft und nicht das Geschick, ihm meine Erschütterung zu erklären. Von Augenblick zu Augenblick wird klarer, daß meine Tränen nur am Anfang Himmelsbach galten; jetzt gelten sie nur noch mir. Auch ich würde, wenn ich nicht mehr anders könnte, idiotische Prospekte durch die Stadt fahren. Es war immer meine größte Furcht, eines Tages meine immense Beugbarkeit öffentlich zeigen zu müssen. Zum Glück geschehen auch wieder läppische Dinge. Es ist erneut Himmelsbach, der mich von meiner halb mir und halb ihm geltenden Erschütterung wieder befreit. Zum zweiten Mal bückt er sich zum Seitenspiegel eines Autos nieder und kämmt sich. Himmelsbach, schimpfe ich gutmütig mit ihm, du willst vor deinem Elend auch noch einen guten Eindruck machen. Diese

Dummheit will mein Mitleid nicht mitmachen. Ich betrete ein staubtrockenes Modegeschäft und warte ab, daß die Klimaanlage auch mit der Eintrocknung meiner Tränen beginnt.

II : An einem späten Mittwochmorgen
sammle ich die Blätter wieder ein,
die ich in Lisas ehemaligem Zimmer
ausgebreitet habe. In Kürze wird Susanne in meiner Wohnung ein und aus gehen, und ich habe kein Bedürfnis, mit
ihr (oder mit sonst jemand) über abgelebte Irritationen zu
reden. Auf dem einen oder anderen Blatt haben winzige
schwarze Käferchen gelebt, die im Laufe der Tage von den
Blättern heruntergefallen und in den Kunststoffasern des
Teppichbodens umgekommen sind. Das heißt, mindestens
zwei der höchstens stecknadelkopfgroßen Tiere treffe ich
noch lebend an. Eine kleine Panik erfaßt mich und führt
dazu, daß ich den Staubsauger aus dem Schrank hole und
zuerst Lisas Zimmer, dann den Flur und danach die anderen Zimmer reinige. Ich glaube, es ist seit Lisas Verschwinden überhaupt das erste Mal, daß ich die Wohnung
derart gründlich säubere. Ich brauche dazu fast eine
Stunde. Am Ende sinke ich schweißnaß und leer auf einem
Stuhl nieder. Aus dem Zentrum der Leere steigt nach ungefähr fünfzehn Minuten das Bild einer Kinderbelustigung
empor, die mindestens so alt ist wie die Erinnerung an das
Umhergehen in herabgefallenen Blättern. Vor mir oder in
mir setzt sich ein Bewegungsablauf zusammen, in dessen
Zentrum ein offener, ältlicher Kohlenwagen steht. Er biegt
in die Straße ein, in der ich damals mit meinen Eltern gelebt habe, und hält vor einem der Mietshäuser. Es ist ein
klappriger Pritschenwagen mit einfachen Ladeklappen,
wahrscheinlich ein Opel Blitz oder ein Vorkriegs-Hano-

mag. Zwei von Kohlenstaub eingeschwärzte Männer, der Fahrer und sein Beifahrer, springen aus dem Führerhaus und öffnen die zur Hausseite hin gelegene Ladeklappe. Die Männer ziehen sich zwei noch viel schwärzere, kapuzenartige Hauben über den Kopf und fangen dann an, schwere Kohlensäcke, gefüllt mit Briketts, Koks oder Eierkohlen, von der Pritsche herunter- in einen Keller hinabzutragen. Ein paarmal versuchen die Männer, die Kohlen durch ein geöffnetes Kellerfenster von der Straße aus in den Keller hinabzustürzen. Der Versuch der Arbeitsersparnis gelingt nur schlecht. Viele Kohlen prallen gegen die Hauswand und bleiben auf dem Bürgersteig liegen. Es verbreitet sich eine riesige Kohlenstaubwolke. In diesen Augenblicken biege ich als Vierzehnjähriger um die Ecke und schaue mir das Schauspiel viel zu lange an. Schon nach kurzer Zeit komme ich zu dem Schluß, daß die vor mir ausgeschütteten Kohlen ein früher Beweis für die Unmöglichkeit des Lebens sind, obwohl ich mich gleichzeitig an der Ausbreitung des Schmutzes freue. Ich schaue den Kohlenmännern zu, bis sie mit ihrer Arbeit fertig sind, und freue mich auch auf das, was jetzt kommt. Eine ungeschickte Hausfrau tritt vor die Tür; sie hat einen Besen dabei und versucht, den Staub zusammenzukehren. Das gelingt nicht, ohne den Staub erneut aufzuwirbeln, obwohl ich einräumen muß, daß die Staubmenge durch das Kehren insgesamt abnimmt, wenn auch sehr langsam. Mindestens zehn Minuten lang bewegt sich die kehrende Frau schattenhaft und unermüdlich in dem von ihr selbst aufgescheuchten Kohlenstaub und verstärkt mein Gefühl von der Unmöglichkeit des Lebens. Gleichzeitig bin ich fasziniert vom Eindringen des Staubs in das Haar und in die Kleidung der Frau. Ich empfinde eine fremde Lust, die ich mir nicht erklären kann. Schon

Frau Balkhausen hat sich am Abend zum ersten Mal im Fernsehen gesehen, und das verdankt sie Ihnen, hat sie mir gesagt.

Ach, wundervoll, sage ich.

Nicht wahr! ruft Frau Tschackert aus.

Wahrscheinlich sollte ich das Telefonat jetzt beenden. Aber trotz der Peinlichkeit, die durch mich hindurchzieht, »gebe« ich Frau Tschackert »einen Termin« für nächste Woche, spätnachmittags, kurz nach Büroschluß, zwei Stunden, »wie üblich« für zweihundert Mark. Frau Tschackert freut sich, wir beenden das Gespräch.

Sofort danach möchte ich weiter darüber nachdenken, ob ich mich als Kind beim Anblick des Kohlenwagens zum ersten Mal kunstvoll beschwindelt habe, aber ich finde nicht mehr die Nähe zur Erinnerungsspur der alten Bilder. Wenig später rauscht ein kurzes Gewitter über die Dächer. Ein Spruch meiner Mutter fällt mir ein: Von den Blitzen wird die Milch sauer. Wäre Lisa hier, würde sie jetzt ausrufen: Das ist ein echtes Sommergewitter! Es kühlt überhaupt nicht ab! Hinterher ist es genauso schwül wie vorher! Mir fällt ein, daß ich Lisa seit vielen Wochen nicht mehr gesehen und nicht mehr gesprochen habe. Es ist, als sei sie für immer aus meinem Leben getreten. Sogleich korrigiere ich mich: Es scheint nicht nur so, sie *ist* aus meinem Leben getreten. Ich bin sogar ein bißchen froh, daß sie mir in den letzten Tagen nicht begegnet ist. Vermutlich hätte ich nicht der Versuchung widerstehen können, ein paar auftrumpfende Mitteilungen zu machen. Stell dir vor, ich leite ein Institut, das es nicht gibt, und verdiene damit sogar Geld, ich lebe ganz modern! Denk dir, ich spreche zuweilen bedeutsam, obwohl ich nie bedeutsam habe sein wollen. Und: Ich bin wieder mit einer Frau zusammen!

Und das Allerunerhörteste: Wenn alles gutgeht, werde ich beim Generalanzeiger regelmäßig Geld verdienen! Ich hätte leicht merken können, wie verblüfft Lisa gewesen wäre, und ich hätte Lust gehabt, noch ein paar pompösere Verlautbarungen nachzuschieben. Meine Existenzlosigkeit geht zurück, findest du nicht auch? Ich habe keine Lust mehr, mein Leben zu belauern. Ich warte nicht mehr darauf, daß die äußere Welt endlich zu meinen inneren Texten paßt! Ich höre auf, der blinde Passagier meines eigenen Lebens zu sein!

Ich bin froh, daß ich diese Sätze nicht habe aussprechen müssen. Endlich gleitet Lisa wieder aus meinen Gedanken heraus. Merkwürdig ist die Stille, die dem Überleben folgt. Es ist plötzlich so ruhig, als hätte es nie einen Kampf gegeben. Ich schaue in der Wohnung umher, nicht weit von mir liegt eine ältere Zeitung. Anstelle der Überschrift VERAB-SCHIEDUNGEN IM LANDRATSAMT lese ich versehentlich VERARMUNGEN IM LANDRATSAMT. Obwohl ich nie ein Landratsamt von innen gesehen habe, bin ich momentweise entzückt, daß das Amt seine Verarmungen endlich eingesteht. Das Gewitter ist vorüber, in den Vorgärten glänzt das Gras. Es ist immer noch Sommer, überall stehen die Fenster offen. In vierzehn Tagen habe ich Geburtstag. Ich hätte ihn vergessen beziehungsweise übergangen, wie viele andere meiner Geburtstage auch, aber Susanne weiß meinen Geburtstag seit unserer Kindheit und will ihn feiern. Ich denke an Frau Tschakkert, von der ich nichts weiß. Ich habe nicht die geringste Ahnung, was ich mit ihr machen werde. Heute abend ist Sommerfest, ich werde für den Generalanzeiger dabeisein und für Messerschmidt einen *luftigen* (das ist Messerschmidts Wort) Artikel schreiben. Beiläufig habe ich Susanne gebeten, sie möge mitgehen zum Sommerfest. Mit noch größerer Beiläufigkeit habe ich gesagt, daß ich für den Generalanzeiger dort bin. Susanne hat darauf nicht reagiert, woraus ich geschlossen habe, daß mir die Beiläufigkeit gelungen ist. Ich überlege, ob ich Susanne heute abend gestehen soll, daß ich mit einem von mir im Scherz erfundenen Schwindelinstitut Geld verdiene. Vermutlich wird Susanne lachen müssen; und das Institut wird vergessen sein.

Kurz danach nehme ich die drei Plastiktüten mit den Blättern und gehe auf die Straße. Ich möchte nicht, daß mich jemand dabei beobachtet, wie ich Blätter aus Plastiktüten herauskippe. Ich suche mir eine abgelegene kleine Grünanlage und gehe zwischen zwei mannshohen Gebüschen hindurch. Genau zwischen den Gebüschen leere ich die Tüten. Jetzt schaue ich nach Lisas beziehungsweise nach meinem Konto. Seit meinem ersten gescheiterten Versuch einer Geldabhebung habe ich die kleine Bankfiliale nicht wieder betreten. Vorher kaufe ich mir in einer Bäckerei in der Dominikanerstraße ein frisches Weißbrot. Das Brot ist noch warm, es erinnert mich gleichzeitig an Lisas und an Susannes Körper. Momentweise bin ich verwirrt, aber dann bin ich mit der Gleichzeitigkeit einverstanden. Ich klemme mir das Brot unter den Arm und habe so den Geruch beider Frauen so nah wie möglich bei mir. In der Bank sehe ich neue Gesichter und neue Einzelheiten. Eine sehr junge Bankangestellte, die ich nie zuvor gesehen habe, beobachtet mich, wie ich das Formular einer Abhebung ausfülle. Ich schiebe ihr den Schein zu, außerdem meine Bankkarte. Die Angestellte prüft das Formular und meine Karte, in der Zwischenzeit sehe ich die Auszüge durch, die sich in den letzten Wochen angesammelt haben. Es ist so, wie ich vermutet habe: Lisa überläßt mir sozusagen als

Abfindung für das Verlassenwerden (an dieser Version halte ich fest) das auf dem Konto angesammelte Geld, genauer: Lisas in den letzten beiden Jahren nicht aufgebrauchten Gehaltsreste. Die Bankangestellte hat festgestellt, daß meine Unterschrift und meine Karte echt sind und daß ich berechtigt bin, von Lisas Konto Geld abzuheben. Ich stecke das Geld ein und reagiere darauf mit einer leichten Durchwehung von Scham, die meinem Körper seit den Kindertagen vertraut ist. Draußen auf der Straße kann ich mich nicht länger zurückhalten, von dem Weißbrot eine Ecke herunterzubrechen. Ich bohre mit dem Zeigefinger im Brotlaib und stecke mir während des Gehens kleine Stücke des Teigs in den Mund.

Der honigfarbene Himmel ändert bis zum Abend nicht seine Farbe. Susanne trägt ein einfach geschnittenes, hellgraues Kleid aus Chintz mit freien Schultern und halbfreiem Rücken. Um den Hals weht ein schwarzrotes Tuch. Kein Schmuck, keine Ohrringe, nicht einmal ein Armreif. Sie ist zurückhaltend geschminkt und gut gelaunt. Auf dem Marktplatz wird es als Höhepunkt des Sommerfestes eine Laser-Show geben. Susanne hat noch nie eine Laser-Show gesehen. Ich auch nicht, was ich Susanne nicht sage. Ich behalte außerdem für mich, daß ich nie eine Laser-Show habe sehen wollen. Ich nehme an, meine lebhaft empfundene Zwiespältigkeit macht mich moderner als die meisten anderen Sommerfestbesucher. Die gewaltige Lichtanlage, die auf der Mitte des Marktplatzes auf der Ladepritsche eines Sattelschleppers aufmontiert ist, macht Susanne und mich eine Weile stumm. Von hier aus werden in ein oder zwei Stunden bunte Lichtkegel in den Himmel geschickt. Rund um den Marktplatz stehen Sektbuden, Grillstände und Brezelhäuschen. An der linken Seite ist ein Open-Air-Kino auf-

gebaut. Die GANZE NACHT werden hier LUSTIGE ZEI-
CHENTRICKFILME gezeigt. Am gegenüberliegenden Ende
steht eine LIVE-BÜHNE, auf der später die WAVES spielen
werden. Ein Organisator ergreift ein Mikrophon und nennt
das ganze Gelände die PARTYMEILE. Mehr und mehr Menschen kommen aus den Seitenstraßen und verteilen sich auf
dem Platz. Es sind vermutlich die Leute, die Frau Balkhausen das Erlebnisproletariat genannt hat. Ich schaue mir die
Menschen an und schaue sie nicht an. Ich kenne sie und ich
kenne sie nicht. Sie interessieren mich und sie interessieren
mich nicht. Ich weiß schon zuviel von ihnen und ich weiß
immer noch nicht genug. Susanne betrachtet braunge-
brannte Kellner. Sie sehen aus, als hätten sie alle eine Yacht
am Mittelmeer, die sie im Augenblick gerade vermietet haben. Sie gehen vorsichtig, damit ihre weißen, fast bis auf
den Boden reichenden Schürzen nicht beschmutzt werden.
Junge Leute lachen mit dem Gesicht, ältere mit dem Körper.
Wenn die Welt noch kritisiert werden könnte, müßte ich
jetzt wahrscheinlich herausfinden, wer wen betrügt, be-
nützt, täuscht, ausbeutet. Aber Messerschmidt will nur
einen luftigen Artikel. Ein anderer Organisator nennt den
Marktplatz die SPASSZONE. Zwei tätowierte Männer in
Unterhemden und zerlumpten Hosen leeren gemeinsam
eine Flasche Orangensaft. Die Männer tragen Ohrringe
und Nasenringe und haben glattrasierte Schädel. Ihre Arme
sind so dick wie die Plastikflasche, aus der sie Orangensaft trinken. Das Umherschweifen mit halbvollen Gläsern
scheint ein einschneidendes Erlebnis zu sein. Es ist mit
Händen zu greifen, daß die meisten Besucher das künstliche Leben für das wirkliche halten wollen. Eine an Susanne und mir vorüberziehende Frau schreit ihrem Begleiter
ins Ohr: Ich mag es nicht, wenn sich mein Leben in eine Un-

Hast du eine andere Erklärung?

In den fünfziger Jahren war eine Laser-Show deshalb nicht nötig, weil die Weltherrschaft der Langeweile noch nicht so weit fortgeschritten war wie heute, sagt Susanne.

Wir lachen und trinken. Ich muß eine Frau betrachten, auf deren Bluse die Worte HARMONY SYMPHONY MEMORY zu lesen sind. Die Worte ziehen sich handbreitgroß über die Brust der Frau, in Pailletten übereinandergenäht, durch die Bewegungen der Frau immerzu schimmernd und leise raschelnd. Der Chef des Kulturamtes klettert auf die Lichtanlage. Ich freue mich, sagt er, daß es zum ersten Mal in der Stadt ein derartiges LICHTSPEKTAKEL gibt. Beifall. Insgesamt sind fünfzehn Scheinwerfer aufgestellt worden, jeder strahlt vierzig Kilometer weit. Beifall. Insgesamt wird heute abend etwa eine halbe Million Kilowatt Strom verbraucht. Beifall. Rund hundert Speziallampen und ein Dutzend verschiedene Lichtsysteme sind aufgebaut. Beifall. Ich mache mir Notizen. Susanne hält mein Sektglas und schaut mir zu. Die Unruhe über mein fast gescheitertes Leben verwandelt sich in die Aufregung über den gerade noch gefundenen Ausweg. Dabei gelingt es mir nicht, mich mit der Fröhlichkeit und der Erwartung der Menschen innerlich zu verbinden. Ich bin sicher, daß alle diese fröhlichen Leute bei der erstbesten Gelegenheit unbarmherzig sein werden, falls Unbarmherzigkeit plötzlich lohnend erscheint. Ich bin verwickelt in die widerliche Arbeit oder in die Arbeit an der Widerlichkeit oder in die Widerlichkeit des Wirklichen, ich kann diese Momente im Augenblick nicht klar auseinanderhalten. Ich strauchle vor der Arbeit und halte es im Augenblick für möglich, daß ich Messerschmidt morgen anrufe und von seinem Angebot zurücktrete. Ist hier nicht irgendwo ein Abhang mit viel Geröll, wo ich meine Jacke hinwerfen kann? Aber es gibt hier nur Juxbuden, Freßhütten und Kioske, ich muß das Gefühl des Gerölls weiter mit mir herumtragen. Plötzlich entdecke ich einen etwa zwölfjährigen Jungen, der sich auf einem Balkon eine Höhle baut. Zwischen den Eisenstäben des Geländers und zwei Wäschehaken hat er eine Leine gespannt, die er mit Wolldecken behängt. Die Wolldecken befestigt er mit Wäscheklammern, deren Sitz er von Zeit zu Zeit überprüft. Immer wieder verläßt er seinen Bau, geht zurück in die Wohnung und kehrt mit neuen Wolldecken, Tüchern und Kissen auf den Balkon zurück. Zwischendurch schaut er flüchtig auf das Gewühle des Marktplatzes herunter. Der Balkon befindet sich in Höhe des dritten Stockwerks eines einfältigen Mietshauses. Ich mache Susanne auf den Jungen und seine Höhle aufmerksam. Ich bin nicht sicher, ob sie bemerkt, daß der Junge meine Absichten rettet. Von Engeln verstehe ich nichts, ich glaube auch nicht an sie, trotzdem halte ich es für möglich, daß der Junge nur meinetwegen zwischen Himmel und Erde herumschwirrt. Er erlaubt mir, den Verwirrungen von Arbeit und Zeit zu entkommen, er macht mich entrinnbar inmitten eines unentrinnbaren Geschehens. Eben konstruiert er das Dach seiner Höhle. Er befestigt ein weiteres Wäscheseil zwischen dem Balkongeländer und einer halbhohen Rolladenvorrichtung an der Wandseite des Balkons. Er spannt das Seil an, dann wirft er die zuletzt herbeigeschaffte Wolldecke darüber und befestigt sie an beiden Enden mit Wäscheklammern. Der Höhleneingang öffnet sich zur Balkontür hin. Hinter der Balkontür liegt vermutlich die Küche, die unbeleuchtet ist. Alle Fenster der Wohnung sind ohne Licht. Wahrscheinlich tummeln sich auch die Eltern des Jungen auf dem Marktplatz. Die Höhle ist so

angelegt, daß längs des Geländers zwei Wolldecken anein-
anderstoßen. Der Junge schiebt dann und wann eine Hand
zwischen die Deckenränder und öffnet sie zu einem Sehschlitz. Die Augenblicke, wenn zwischen den Wolldecken
die weiße Hand des Kindes erscheint und dahinter, von
hier unten kaum erkennbar, sein regloses Gesicht, sind
ganz unbeschreiblich und ein Eigentum der Engel, wenn
es Engel gibt. Der Junge verschwindet für eine Weile im
Innenraum der Wohnung. Die Leute im Open-Air-Kino
verdrehen immer wieder die Köpfe zu anderen Schauplät-
zen, wo vielleicht eine größere oder härtere Erregung her-
kommen könnte. Der Chef des Kulturamtes steigt von der
Lichtanlage herunter. Kurz darauf flammen die ersten
Lichtkegel den Himmel hinauf und rotieren am Firma-
ment. Die WAVES hämmern einen Rhythmus über den
Platz. Der Junge erscheint wieder auf dem Balkon. Er trägt
ein Proviantpaket und eine Flasche Mineralwasser in seine
Höhle. Offenbar richtet er sich für einen längeren Aufent-
halt ein. Susanne und ich streifen noch ein wenig umher,
dann verlassen wir das Sommerfest. Susanne ist müde und
leicht betrunken. Sie will ins Bett und sofort schlafen. Ich
bringe sie nach Hause und kehre dann noch einmal auf den
Marktplatz zurück. Ich will nur noch eine Weile die Höhle
des Jungen betrachten. Einmal öffnet er den Sehschlitz
eine Handbreit und setzt an zu einem längeren Rundblick
auf die wogenden und lärmenden Massen. Es ist ein miß-
trauischer, geretteter Blick, der mein eigener sein könnte.
Nach etwas mehr als einer Stunde gehe auch ich nach
Hause und lege mich schlafen. Am Mittag des folgenden
Tages mache ich mich auf den Weg zum Generalanzeiger
und bringe Messerschmidt einen luftigen Artikel vorbei.
Ich gehe über den Marktplatz, weil ich nachsehen will, was